Chystine Brouillet

CATHERINE ET STÉPHANIE

Volume 1

Illustrations de Philippe Brochard

Groupe d'édition la courte échelle inc.
Division la courte échelle
4388, rue Saint-Denis, bureau 315
Montréal (Québec) H2J 2L1
www.courteechelle.com

Dépôt légal, 2e trimestre 2010
Bibliothèque nationale du Québec

Le Groupe d'édition la courte échelle reconnaît l'aide financière du gouvernement du Canada pour ses activités d'édition. Le Groupe d'édition la courte échelle est aussi inscrit au programme de subvention globale du Conseil des arts du Canada et reçoit l'appui du gouvernement du Québec par l'intermédiaire de la SODEC.

Le Groupe d'édition la courte échelle bénéficie également du Programme de crédit d'impôt pour l'édition de livres — Gestion SODEC — du gouvernement du Québec.

Financé par le gouvernement du Canada | Canada

Catalogage avant publication de Bibliothèque et Archives nationales du Québec et Bibliothèque et Archives Canada

Brouillet, Chrystine

Catherine et Stéphanie
(Roman jeunesse)
Publ. à l'origine en volumes séparés.

Sommaire: v. 1. Le caméléon ; La montagne noire ; Le corbeau.
Pour les jeunes de 9 ans et plus.

ISBN 978-2-89651-413-7 (v. 1)

I. Brochard, Philippe. II. Titre. III. Collection: Roman-jeunesse.

PS8553.R684C37 2010 jC843'.54 C2010-940305-3
PS9553.R684C37 2010

Imprimé au Canada

Chrystine Brouillet

Du plus loin qu'elle se souvienne, Chrystine Brouillet a toujours lu. Enfant, elle passait des heures à la bibliothèque ou lisait à l'ombre des arbres en été. Adolescente, elle découvre les aventures du gentleman cambrioleur Arsène Lupin. Adulte, elle se met à l'écriture et fera partie des tout premiers auteurs de romans policiers au Québec. Aujourd'hui, Chrystine est toujours une lectrice insatiable, mais elle passe aussi beaucoup de temps à écrire. Quand elle raconte une histoire — ce qu'elle aime par-dessus tout —, on n'a qu'une envie : la lire jusqu'au bout !

Philippe Brochard

Philippe Brochard a commencé à publier des dessins et des bandes dessinées lorsqu'il était étudiant. Aujourd'hui, il est graphiste et illustrateur. Il dessine pour plusieurs magazines et illustre beaucoup de livres pour enfants.

De la même auteure à la courte échelle

Collection Albums
Une chauve-souris qui pleurait d'être trop belle

Collection Premier Roman
Mon frère, le dragon

Série Clémentine :
Mon amie Clémentine
Les pièges de Clémentine
Clémentine aux quatre vents
Clémentine n'aime pas sa voisine

Collection Roman Jeunesse
Série Catherine et Stéphanie :
Le complot
Le caméléon
La montagne Noire
Le Corbeau
Le vol du siècle
Les pirates

Série Andréa-Maria et Arthur :
Mystères de Chine
Pas d'orchidées pour Miss Andréa !
Les chevaux enchantés
La veuve noire
Secrets d'Afrique
Le ventre du serpent
La malédiction des opales
La disparition de Baffuto

Hors collection Roman Jeunesse
Série Andréa-Maria et Arthur :
Andréa-Maria et Arthur, volume 1

Collection Roman+
Série Natasha et Pierre :
Un bonheur terrifiant

Collection Ado
Série Natasha et Pierre :
Un jeu dangereux
Un rendez-vous troublant
Un crime audacieux
Une plage trop chaude
Une nuit très longue

Catherine et Stéphanie voyagent !

Catherine et Stéphanie ont des admirateurs dans plusieurs pays du monde. On peut lire les romans de la série en italien, en espagnol et en chinois.

Des honneurs pour Chrystine Brouillet !

• Prix du Signet d'or désignant l'auteur préféré des jeunes (1993 et 1994)

• Premier prix, Palmarès des clubs de lecture Livromagie pour *Le vol du siècle* (1992)

• Premier prix, Palmarès des clubs de lecture Livromanie pour *Un jeu dangereux* (1990)

• Prix Alvine-Bélisle récompensant le meilleur livre jeunesse de l'année pour *Le complot* (1986)

Le caméléon

Chapitre I

Quand son père rentra à la maison, Catherine râpait des carottes. Emmanuel Marcoux était très content: il répétait souvent que les carottes, c'était bon pour les yeux. Mais il ne devait pas en avoir mangé beaucoup avant que sa fille se mette à lui en préparer car il portait des lunettes aux verres aussi épais que le fond d'une bouteille. Et il était si distrait qu'il les gardait parfois pour dormir.

Catherine se demandait souvent comment son père se débrouillait au laboratoire. Les chercheurs avec qui il travaillait devaient s'impatienter, car Emmanuel oubliait tout!

Catherine avait fait une omelette au jambon et une salade de tomates en plus des carottes. Son père reprit trois fois de la salade. S'il se réincarnait, ce serait en mouton: il pourrait brouter à sa faim. Catherine, elle, se voyait bien en chatte. On disait qu'elle était aussi indépendante que sa Mistigri. Chose certaine, elle ne ferait pas autant de bébés que sa chatte. Mistigri avait trois portées par année! D'ailleurs, elle était encore enceinte!

De toute manière, Cat ne savait pas si elle voulait des enfants. Ça ne devait pas être trop pratique quand on était astronaute. Même si la navette spatiale avait explosé, Catherine n'avait pas changé d'idée: l'espace l'intéressait! Et elle serait en avance sur tout le monde si jamais on devait s'installer sur d'autres planètes, au cas où la terre sauterait. Cat ne croyait pas que ça arriverait mais elle aurait pris ses précautions. Elle avait vraiment hâte de bouger dans la stratosphère. À son anniversaire, son père lui avait offert une balade en hélicoptère qui avait duré deux heures. Ce n'était pas assez long, et l'appareil ne volait pas très haut, mais c'était bien tout de même.

Après avoir lavé la vaisselle, Catherine et son père regardèrent les informations à la télévision. Quand on annonça la découverte du corps de

Marc Danjou, Emmanuel devint très pâle et se précipita aussitôt pour monter le volume du téléviseur. Le journaliste disait que la victime avait reçu une balle en plein front en sortant de son domicile.

— Ah non! Pas Marc Danjou! gémit Emmanuel.

Catherine s'approcha de son père même si elle ne savait pas trop quoi faire. Elle lui prit la main. Il la serra, puis se leva et éteignit le téléviseur.

— Tu connaissais Marc Danjou, papa?

— Oui. Je travaillais parfois avec lui.

Il faut que je prévienne Étienne.

Étienne Beaulieu était le meilleur ami d'Emmanuel Marcoux. Ils avaient étudié ensemble. Puis ils avaient trouvé un emploi au centre de recherche de l'hôpital. C'était presque un frère! À entendre parler son père au téléphone, Catherine comprit qu'Étienne savait déjà la nouvelle. En raccrochant, Emmanuel demanda à sa fille si ça l'embêtait de passer la soirée toute seule; il devait aller voir Étienne.

— Bien sûr que non, dit Cat.

Elle aimait bien regarder la télé en paix, et comme son père n'appréciait pas les mêmes émissions, il fallait toujours discuter ou tirer à pile ou face. Là, elle serait tranquille. Elle regarda un film fantastique: l'histoire d'une fille qui avait des pouvoirs paranormaux. Cat aurait bien aimé être une sorcière pour faire tout ce dont elle avait envie! Elle serait toujours la première à l'école. Même en français!

Après le film, elle écouta ses disques à plein volume. Habituellement, elle mettait un casque d'écoute sinon son père faisait tout un drame! Et durant la nuit, elle rêva au chanteur du groupe Émotion; il la prenait dans ses bras et l'embrassait!

Pendant que Catherine rêvait à son héros et que son père discutait du meurtre de Marc Danjou avec son ami Étienne, un homme entrait dans un restaurant. Il voulait vérifier son déguisement. Aussi avait-il choisi un endroit où on le connaissait, où il allait régulièrement. Il poussa même l'audace jusqu'à commander ce qu'il prenait habituellement. Le test réussit: personne ne se douta que sous cette perruque noire, cette moustache, ces favoris et ces lunettes se cachait un redoutable tueur à gages. Celui qui avait assassiné Marc Danjou: l'homme qu'on surnommait le Caméléon. Le criminel mangea tranquillement puis il retourna à l'hôtel: il devait dormir pour être en forme. Son travail n'était pas terminé…

Le lendemain, dans le journal, c'est à peine si on parlait du meurtre de Marc Danjou. Catherine eut l'impression que les enquêteurs étaient embarrassés et qu'ils n'avaient aucune piste. Personne n'avait rien vu. Pourtant, le crime avait eu lieu en fin d'après-midi. Il ne faisait même pas noir. Emmanuel dit que Marc Danjou habitait une maison isolée en banlieue, un peu comme la leur. En effet, Catherine et son père ne voyaient pas leurs plus proches voisins de la maison. Et même si Cat devait faire quarante minutes de bus pour aller à l'école, son père préférait vivre en dehors de la ville pour respirer l'air pur. Il devait sentir tellement de drôles d'odeurs dans son laboratoire qu'il avait envie d'autre chose quand il en sortait!

Cat pensait que son père serait fâché qu'on ne parle pas plus de monsieur Danjou. Comme si ce n'était pas grave... Mais Emmanuel ne dit rien. Il avait même l'air soulagé. Cat ne comprenait pas toujours son père... Surtout ce matin-là quand il lui dit qu'il irait la chercher à l'école: ça n'arrivait jamais! Catherine aurait été contente si elle n'avait pas décidé la veille, avec son amie Stéphanie, d'aller au centre commercial. Elle avait vu une ceinture noire qui lui plaisait beaucoup. Et elle avait économisé assez d'argent pour l'acheter. Son père dit qu'il irait avec elles si elle voulait. Là, Cat était encore plus surprise. Son père? La suivre dans des boutiques? Elle lui demanda en riant s'il était malade.

— Non, non, fit-il en rougissant.

Il ajouta qu'il ne voyait pas assez sa fille chérie.

— O.K., papa, viens avec nous. Mais n'oublie pas d'enlever ton sarrau blanc. Avec lui, tu as l'air d'un médecin!

À l'école, il y avait un nouvel élève. Il s'appelait Lôc et il arrivait du Viêt-nam. Il portait un gros chandail en laine noire. Ça allait très bien avec ses cheveux. Il n'y avait personne aux cheveux aussi foncés que les siens dans la classe. Cat aurait bien aimé que les siens soient aussi sombres, mais ils étaient bruns. Elle trouvait ça assez banal, merci! Elle aurait souhaité avoir des mèches roses, mais son père ne voulait pas. En quoi ça pouvait le déranger? La mère de Stéphanie refusait, elle aussi, que sa fille se teigne les cheveux blond platine. Pourtant, ce n'était pas leurs chevelures! Catherine et Stéphanie auraient dû avoir le droit d'en faire ce qu'elles voulaient!

Lôc avait l'air gêné quand le prof de maths l'a présenté aux élèves. Catherine aussi aurait été mal à l'aise: arriver à l'école avec un mois de retard et ne connaître personne... Ça ne lui aurait pas plu du tout!

Comme Cat était la meilleure en maths, le prof lui expliqua que Lôc s'assoirait à côté d'elle. Ainsi, Catherine pourrait l'aider si elle le voulait bien.

— Oui, évidemment, répondit Catherine.

Lôc lui fit un petit salut en s'inclinant légèrement. Un peu comme on voit dans les films. Cat était sûre que Stéphanie serait jalouse. Mais à la récréation, Stéphanie alla la retrouver comme d'habitude et elles parlèrent

Le caméléon

toutes les deux avec Lôc. Il venait de Saigon. Mais il savait très bien le français parce que ses parents le parlaient couramment. Lôc avait treize ans, comme Catherine, mais elle le trouvait moins bébé que les autres garçons de sa classe. Peut-être parce qu'il avait voyagé. Il avait trois frères et trois soeurs.

— Chanceux! dit Cat.

Mais Lôc n'avait pas l'air d'apprécier.

— Si tu étais toujours obligé de jouer seul, tu comprendrais ton bonheur, dit Catherine avant que la cloche sonne.

Elle ne revit pas Lôc avant le midi, mais Stéphanie avait eu le cours de géographie avec lui.

— Tu sais, Cat, il est très fort en géo. Il connaît plein de capitales. Il a dit qu'il m'aiderait. Moi, je vais l'aider en histoire.

— En histoire?

Catherine était étonnée: Stéphanie n'avait jamais été bonne en histoire: elle disait que les vieilles chicanes de ses ancêtres ne l'intéressaient pas.

— Mais tu n'aimes pas l'histoire, dit

Catherine.

— Je n'aimais pas... Mais cette année, c'est merveilleux avec monsieur Pépin. Il est si intelligent! Si drôle!

Stéphanie avait toujours les meilleurs profs! Il y avait deux ans que Catherine et Stéphanie se connaissaient et c'était la même chose chaque année. C'était injuste! En plus, la mère de Stéphanie lui faisait des robes.

Catherine, elle, n'avait pas connu sa mère. Elle était partie vivre en Californie quand Cat était un bébé. Emmanuel disait que c'était une grande actrice et qu'elle avait été obligée de s'exiler pour faire carrière. Mais Cat aurait aimé que sa mère vienne parfois la voir. Stéphanie soutenait que les robes ne lui faisaient pas oublier les sermons de sa mère et que Catherine ne devait pas se plaindre d'avoir la paix! Cat disait que Stéphanie exagérait car sa mère était très sympathique. C'est avec elle qu'elle avait acheté son premier soutien-gorge. Madame Poulin connaissait ça: Stéphanie avait deux soeurs!

Pour le dîner, Catherine mangea

deux sandwiches aux cretons. Stéphanie lui en demanda.

— Je vais te donner ma tarte aux pommes en échange.

Cat savait que Stéphanie lui offrirait son dessert: elle adorait les cretons que faisait Emmanuel. Normal: c'étaient les meilleurs cretons de la ville! Selon la recette de la grand-mère de Cat. Lôc mangea avec les filles. Il ne connaissait pas les cretons mais il dit que leurs pâtés vietnamiens avaient un goût semblable. Il en apporterait quand sa mère en ferait. Pour le moment, elle était trop occupée à travailler.

Comme Lôc avait un journal, Catherine le lui emprunta. On reparlait du meurtre de Marc Danjou mais il n'y avait rien de nouveau.

— C'est incroyable! dit Catherine. On n'a rien découvert.

— Découvert?

— Oui, je vous ai parlé de l'ami de papa qui a été assassiné avant-hier: les policiers n'ont aucune piste. On dirait que le criminel a disparu…

— C'est possible, dit Lôc. Il y a des meurtriers qui sont très doués… des tueurs à gages, ou des espions...

— Hier non plus, il n'y avait rien dans le journal, dit Cat.

— Tu le lis régulièrement? demanda Stéphanie à Cat. Moi aussi.

Première nouvelle! Cat n'avait jamais vu son amie lire un quotidien: Stéphanie Poulin n'aimait que les magazines de mode et les romans.

— Je ne t'ai jamais vue lire un journal, Stephy!

— Je le lis depuis que j'ai des cours d'histoire avec monsieur Pépin; il dit que l'Histoire s'écrit tous les jours.

Monsieur Pépin par-ci, monsieur Pépin par-là: Stéphanie parlait de lui sans arrêt!

— Dis-moi, Stéphanie, es-tu amoureuse de monsieur Pépin? demanda Catherine en souriant.

— Tu es bébé, Catherine Marcoux! Hé que tu es bébé!

Comme Lôc n'avait pas l'air de comprendre, Catherine lui expliqua que ce n'était pas la peine. Stéphanie disait des bêtises, comme toujours...

Le lendemain, Catherine n'adressa pas la parole à Stéphanie de toute la journée. C'était Stéphanie qui l'avait traitée de bébé, c'était à elle de s'excuser! Cat trouvait ça ennuyeux de manger sans elle, mais elle fit quand même semblant de ne pas la voir à la cafétéria. Lôc n'était pas là non plus.

À la fin des cours, Catherine traîna un peu dans les couloirs avant de sortir pour prendre l'autobus. Au cas où Stéphanie voudrait lui parler... Cat savait qu'elle avait un cours dans la salle 512. Elle s'y rendit et vit Stéphanie qui pleurait toute seule.

Quand Stéphanie l'aperçut, elle lui dit de partir, mais Cat resta. Quand on pleure, on ne se rend pas compte de ce qu'on dit. Stéphanie pleurait aussi fort que Catherine quand elle avait manqué le spectacle du groupe rock Émotion. Elle pensait qu'elle allait en mourir!

— Stéphanie, pourquoi pleures-tu?

— Tu le sais bien!

Non, Cat avait beau chercher, elle ne voyait pas de quoi Stéphanie parlait.

— Tu sais, Stéphanie, je ne suis plus fâchée contre toi.

— Ce n'est pas pour ça que je pleure, Kate.

Parfois, Stéphanie appelait Catherine Kate, et elle Stephy parce que ça faisait anglais. Ce serait mieux lorsqu'elles iraient voir des spectacles!

— Mais pourquoi? Qu'est-ce qui se passe?

— C'est monsieur Pépin!

— Qu'est-ce qu'il a fait, monsieur Pépin?

— Rien.

— C'est parce que je t'ai dit que tu étais amoureuse de lui? C'était une plaisanterie.

— Non, c'est vrai! Je l'aime! Je l'aime de toutes mes forces!

Monsieur Pépin! Catherine était vraiment surprise! Elle ne le connaissait pas car elle ne l'avait pas comme professeur. Mais il lui semblait un peu vieux. Stéphanie lui dit que l'âge n'a pas d'importance quand on aime. C'était peut-être vrai.

Catherine et Stéphanie rentrèrent ensemble. Cat jura qu'elle ne parlerait jamais à qui que ce soit de l'amour de Stéphanie pour monsieur Pépin. Après

Le caméléon

Le caméléon

tout, Stephy était sa meilleure amie. Elles devaient tout se dire!

Le soir, Catherine lut le journal pour le commenter avec Lôc et Stéphanie le lendemain. Elle dit à son père que les policiers croyaient que Marc Danjou avait été victime d'un crime crapuleux. Elle ne comprenait pas ce que voulait dire «crapuleux» et Emmanuel lui expliqua. Il avait l'air satisfait qu'on ait écrit «crapuleux» dans le journal. Catherine s'étonna de l'attitude de son père.

— Mais je croyais que la mort de Marc Danjou te chagrinait!

Emmanuel répondit (encore une fois) que c'étaient des histoires trop compliquées pour elle. Comme si Cat était un bébé! Mais elle ne répliqua pas car elle voulait regarder un film de guerre à la télé.

— C'est trop tard, dit Emmanuel. Et puis c'est violent!

— Je le sais! Mais j'ai un ami vietnamien, Lôc. Et le film se passe au Viêt-nam: je veux voir à quoi ça ressemble là-bas.

Son père finit par accepter et ils regardèrent le film ensemble. Catherine rêva toute la nuit de gens qui jouaient à la roulette russe pour se tuer. Mais elle n'en dit rien à son père au petit déjeuner. Ensuite, il aurait eu une bonne raison pour refuser de la laisser voir un autre film!

Lôc aussi avait vu le film et il dit que c'était parfois comme ça à Saigon. Catherine décida qu'elle n'irait jamais au Viêt-nam! Même si la cuisine semblait délicieuse! Lôc avait apporté des rouleaux de printemps et Cat y goûta. Il y avait de la laitue, des germes de soja, de l'omelette, du porc haché, deux crevettes et de la menthe fraîche. Le tout roulé dans une pâte pareille à du papier de soie. Pendant qu'elle mangeait son rouleau, Cat se demandait où était Stéphanie.

— Elle n'était pas au cours d'histoire ce matin, dit Lôc.

— Ah… Je comprends…

— Qu'est-ce que tu comprends, Cat?

— C'est parce que Stephy est am… rien… rien.

Oups! Cat avait failli révéler que sa meilleure amie était amoureuse! Stéphanie lui aurait arraché les yeux! Ou au moins les cheveux! Heureusement la cloche sonna et Catherine n'eut pas besoin de mentir.

Cat revit Lôc dans l'autobus qui allait au centre-ville. Ensuite, ils changèrent ensemble d'autobus. Ils réalisèrent qu'ils se rendaient au même endroit. La mère de Lôc travaillait à l'hôpital comme le père de Catherine! Quelle coïncidence!

— Est-ce que ta mère fait de la recherche, Lôc?

— Non, plus maintenant, elle est aide-infirmière. Mais au Viêt-nam, elle était médecin. En recherche aussi.

— Pourquoi ne continue-t-elle pas ici?

— Parce qu'on vient d'arriver, dit Lôc.

Catherine ne comprenait pas très bien pourquoi la mère de Lôc ne faisait plus d'expériences, mais l'autobus arrivait à destination. Catherine demanda à

Lôc s'il voulait visiter le laboratoire de son père.

— Je le rejoins là tous les vendredis.

— Tu crois que je peux? Ce ne sont pas des recherches ultra-secrètes?

— Pas vraiment. Il faut seulement enregistrer son nom à l'entrée, avant de prendre le couloir B qui mène au labo. Mais je connais les gardiens, ça ne posera aucun problème.

Cat et Lôc traversèrent le grand hall et la salle des urgences avant d'arriver au bureau F. Cat sonna deux petits coups. Après plusieurs secondes sans réponse, elle sonna de nouveau.

— C'est bizarre; habituellement, on m'ouvre tout de suite.

— C'est peut-être parce que je suis là: les recherches doivent être plus secrètes que tu ne le penses.

— Je le saurais!

— Mais non, justement! dit Lôc en riant. Ça ne serait plus un secret!

— Peut-être, admit Catherine, mais je déteste attendre. Viens. Je frapperai à la porte du labo. Papa m'ouvrira sans avoir été prévenu, c'est tout…

Et avant que Lôc ait eu le temps de protester, Cat le tira par la manche et ils s'engagèrent dans un long couloir sombre. Mais ils ne firent pas trois pas qu'ils bousculèrent un gardien qui sortait de la salle des toilettes. Ils tombèrent tous par terre mais le gardien se releva très vite. Il dit à Cat et à Lôc que c'était interdit de circuler dans cette zone. En même temps, il les entraîna vers l'entrée pour les empêcher de se rendre au labo. Cat réussit à se dégager.

— Mais je viens voir mon père! Au labo!

Le gardien tenta de la rattraper.

— Il n'est pas là.

— Il est toujours là le vendredi. Vous êtes nouveau, vous ne le savez pas, mais il travaille dans ce labo tous les vendredis. Et je dois le retrouver.

— Attendez-moi ici, je vais me renseigner pour savoir si vous pouvez entrer. Ne bougez pas!

Et le gardien s'éloigna en courant. Mais il avait pu entendre Catherine dire à Lôc:

— T'as vu? Le gardien a un tatouage au poignet! Une sorte de

Le caméléon

reptile! Il est bizarre, ce type...

— Oui, très bizarre... Il a perdu ses lunettes et n'a même pas essayé de...

Lôc ne termina pas sa phrase, fronça le nez:

— Tu ne trouves pas qu'il y a une drôle d'odeur?

Cat huma l'air:

— Oui, ça sent le brûlé...

L'instant d'après, les deux amis entendirent un BOUM épouvantable, plus fort que tous les disques de Cat jouant à plein volume. Puis il y eut un bruit de verre cassé.

Cat se retourna en même temps que Lôc et ils virent une grosse fumée noire derrière eux. Elle courut vers le labo en criant «papa» mais Lôc réussit à la retenir.

— Attends, c'est dangereux!

— Mais papa...

— Le gardien a dit qu'il n'était pas là, dit Lôc même s'il n'en était pas très sûr.

À ce moment, plusieurs gardiens envahirent le couloir, courant vers le labo. Des gens criaient dans le hall et Cat vit apparaître son père, tout pâle.

— Papa!

— Cat! cria-t-il en se précipitant pour embrasser sa fille.

— J'ai eu tellement peur! Pourquoi n'étais-tu pas au labo?

— J'étais sorti par la cour intérieure plutôt que de faire tout le tour de l'hôpital pour me rendre à mon bureau. J'avais oublié mes lunettes.

Au mot «lunettes», Catherine se mordit les lèvres: ça lui rappelait quelque chose... «Lôc? Lôc? Mais où est-il?»

— Je suis venue avec Lôc, papa, dit Cat. C'est mon copain vietnamien: il doit être allé voir au labo ce qui s'est passé.

Effectivement, Lôc était au labo, ou plutôt, à ce qu'il en restait. Cat prit le bras de son père car elle savait qu'il était très découragé; les dégâts étaient énormes: des heures de travail réduites à néant... Emmanuel contempla le désastre durant quelques minutes puis il se tourna vers sa fille:

— Allez, je te reconduis à un taxi et tu files chez ta marraine. C'est inutile que tu restes ici. Moi, je n'ai pas le choix...

— Je peux trouver un taxi toute seule, dit Cat.

— Non, j'y vais avec toi, dit Emmanuel qui accompagna Cat jusqu'à la station de taxi.

Chapitre II

Alors que le personnel de l'hôpital s'agitait en tous sens, un homme quittait la salle d'attente des urgences avec d'autres malades. Il portait un bandage blanc très épais comme s'il s'était brûlé la main. C'était faux. Le bandage énorme était collé sur du carton. Il y avait assez de place entre le carton et le poignet pour cacher une fausse moustache, une perruque et des lunettes. L'homme se frappa le front: où étaient ses lunettes?

Le Caméléon ragea quand il comprit qu'il avait perdu ses lunettes au moment où la fille et le garçon vietnamien l'avaient bousculé. Et il se souvint que Cat avait vu son tatouage... Pourtant, le Caméléon portait des gants. Mais durant une fraction de seconde, le poignet de sa chemise était remonté et Cat avait pu voir le caméléon dont la queue touchait la paume de la main du tueur à gages. L'homme décida de ne pas parler de la gamine et du Vietnamien à ses chefs. Après tout, l'attentat s'était déroulé comme prévu. Le labo avait explosé: il ne devait plus y avoir personne de vivant à l'intérieur. Le Caméléon ignorait s'il avait tué ou non le gardien en l'assommant pour lui voler son costume. Mais il s'en foutait. L'important, c'était qu'Emmanuel Marcoux et Étienne Beaulieu soient dans un autre monde!

Il n'en était pas à son premier meurtre. Ses patrons l'employaient justement pour la désinvolture qu'il manifestait face à la mort. Du moins, celle d'autrui. Le Caméléon avait éliminé plusieurs personnes et il ne posait jamais d'autre question que le montant de la prime. Malgré son peu de curiosité, il avait appris que ses derniers crimes devraient interrompre les recherches auxquelles se livraient les savants au laboratoire. Le Caméléon s'étonna de la faible surveillance qui entourait ces expériences. Ses patrons lui expliquèrent que les recherches avaient justement lieu à l'hôpital, dans un labo ordinaire, pour persuader les gens qu'aucune expérience importante n'y était faite. C'était une ruse. Le Caméléon avait haussé les épaules: tout cela lui importait peu! Au contraire, c'était très bien: il avait pu poser sa bombe facilement.

Ayant quitté l'hôpital, il entra dans un restaurant et s'installa près d'une fenêtre pour voir ce qui se passait en face, à l'hôpital. Il mangea des frites en parlant avec une serveuse. Celle-ci ne reconnut pas le client qui était venu plus tôt dans l'après-midi car le Caméléon s'était débarrassé de sa perruque et de la moustache noires et était de nouveau blond. La serveuse voulait savoir ce qui s'était passé à la salle des urgences quand tout avait sauté.

Le Caméléon prit un accent étranger pour commenter l'événement.

— Oui, j'étais là. J'ai entendou un brouit horribilé. J'ai volou vénir ici car les courieux gênent toujours lé travaillé des polices. J'allais pour mon pansément. J'attendrai domani.

Le Caméléon racontait tout cela

sans émotion. Mais soudain il s'étouffa et blêmit. Il venait d'apercevoir Catherine qui traversait la rue avec son père.

Quoi? Emmanuel Marcoux était encore vivant? Mais comment était-ce possible? Le labo avait explosé! Et il devait travailler dans le labo! Le Caméléon sortit du restaurant en courant et regarda le père et la fille s'embrasser. Il avait envie de hurler: tout était à recommencer! C'était le premier échec de sa carrière d'assassin...

Pendant que le Caméléon ruminait sa défaite et se demandait comment l'annoncer à ses chefs, Catherine dormait dans la chambre d'amis, chez sa marraine. Pour déjeuner, le lendemain matin, il y avait des *crumpets* que la marraine de Cat avait rapportés de Londres.

— J'aimerais bien aller en Angleterre pour voir les punks et les autobus rouges, dit Cat alors qu'on sonnait à la porte. Ça, c'est papa!

Emmanuel avait l'air fatigué, mais il mangea de bon appétit les petits *crumpets* entre deux questions de Cat.

— Alors? Dis-nous! Qu'est-ce qui a causé l'explosion?

— Une bombe. Le gardien de sécurité qui était en poste a été assommé par un homme, déguisé en malade. Il a cru que cet homme s'était égaré et allait lui montrer le chemin quand celui-ci l'a frappé. Ensuite, le faux malade lui a volé son uniforme.

— Le gardien est gravement blessé?

— Non, sa casquette l'a protégé. Sinon, il risquait le coma... ou pire, dit Emmanuel en soupirant.

— Mais j'en ai vu un gardien! s'exclama Catherine. Même qu'il nous a bousculés! Je ne le connaissais pas!

— Quoi? Où l'as-tu vu?

— Près du labo. Juste avant l'explosion!

— Comment était-il?

— Je n'ai pas trop remarqué... Il était grand avec une moustache noire et des sourcils épais et des lunettes... Ah!

— Ah?

— Les lunettes! Il faut que j'appelle Lôc!

— Quelles lunettes? demanda Emmanuel.

— Les lunettes du gardien!

Lôc dit à Catherine qu'il avait toujours les lunettes. Et que c'était encore plus étrange qu'ils ne l'avaient cru au départ: les verres n'étaient pas correcteurs...

— Bon, on va chercher ton copain Lôc et on va voir les enquêteurs, dit Emmanuel. On aurait dû y penser avant.

Au bureau central de police, Cat et Lôc firent leurs dépositions et le garçon

rendit les lunettes: des verres neutres trahissaient la supercherie. Le gardien était un faux gardien. Les enquêteurs montrèrent des photos de criminels à Cat et Lôc. Malheureusement, il n'y avait pas celle du Caméléon. Il faut dire que les deux amis cherchaient un moustachu aux cheveux noirs...

De retour chez elle, Catherine téléphona à Stéphanie pour lui raconter son aventure. Stéphanie dit que cette histoire de bombe la distrayait de son amour malheureux. Ensuite, elle lui demanda si elle était amoureuse de Lôc.

— Non, pas du tout! Pourquoi penses-tu ça?

— Tu en parles souvent... Enfin, tant mieux pour toi, tu es bien chanceuse...

— Chanceuse? dit Catherine. Pourquoi?

— Tu n'es pas amoureuse... C'est compliqué, tu sais...

Cat approuva Stéphanie: l'été précédent, chez sa cousine, François Lemieux était amoureux d'elle. Et elle de lui. Sa cousine était très jalouse et elle fit semblant de tomber malade. Tout ça pour que Cat retourne chez son père et soit séparée de François. Cat a écrit à François mais il a répondu juste une fois à ses lettres.

— Ah! C'est vraiment difficile d'être amoureuse... J'ai besoin de tes conseils, Kate. Est-ce que je dois avouer mon amour à monsieur Pépin?

Cat en était persuadée: Stephy devait tout dire. Ce n'était pas honteux et monsieur Pépin serait sûrement flatté! Stéphanie déclarerait ses sentiments après le dernier cours du mardi.

Cat lui promit de l'attendre pour rentrer. Stéphanie pourrait lui parler de monsieur Pépin aussi longtemps qu'elle le voudrait; elle pourrait tout lui raconter. C'était bien normal: c'était sa meilleure amie.

Le dimanche, Cat eut un appel de Lôc qui n'arrivait pas à résoudre un problème de maths. Elle proposa à son copain de venir travailler chez elle: Emmanuel approuvait toujours qu'elle invite des amis pour étudier. Bien sûr, Lôc et Cat parlèrent de l'attentat.

— «Bandit», c'est *cuôp* en vietnamien, et «bombe», ça ressemble au français: *bôm*, dit Lôc pour répondre aux questions de Cat. Mais pourquoi n'as-tu rien dit au sujet du tatouage?

— Je ne suis pas certaine d'avoir bien vu, dit Cat...

— Réalises-tu que nous sommes les seuls à l'avoir rencontré, ce faux gardien? Nous seuls pouvons l'identifier.

Cat hocha la tête... Comment y parvenir?

Lôc pensait qu'un assassin revient toujours sur les lieux de son crime. Il tenterait de déceler une présence insolite quand il irait, comme chaque soir, rejoindre sa mère à l'hôpital.

Hélas, durant la semaine, malgré ses dons d'observation, Lôc ne vit pas l'ombre du Caméléon. Mais comment l'aurait-il reconnu? Le Caméléon changeait d'aspect régulièrement, et durant tout le temps où il suivit Lôc, il portait une perruque rousse et une barbe.

Car le Caméléon guettait Lôc: il voulait connaître parfaitement son emploi du temps ainsi que celui de Catherine. Il avait finalement parlé de Cat et de son copain vietnamien à ses chefs. Et ceux-ci étaient très mécontents.

— Première erreur: nous vous avions dit qu'il ne devait pas y avoir de témoin. Vous avez eu plus de succès avec Marc Danjou. Deuxième erreur: vous deviez liquider Emmanuel Marcoux et Étienne Beaulieu. Ils sont toujours vivants.

— Mais c'est vous qui m'aviez dit qu'ils étaient toujours au laboratoire le vendredi, à l'heure où la bombe a explosé. C'était votre idée... Moi, je préfère toujours les balles. Ou le lacet de cuir.

— Admettons, dit le grand patron, excédé. Mais il y a eu des témoins... ces deux enfants...

— C'est uniquement la fille qui est

dangereuse, dit le Caméléon. Elle seule m'a vraiment regardé.

Il ne parla pas du tatouage, mais proposa de tuer Catherine pour la moitié du prix habituel, puisque c'était son erreur. Ses patrons apprécièrent son initiative. Même s'il n'y avait pas grand danger: le portrait-robot fait d'après les indications de Lôc et de Cat ne permettrait pas d'identifier le Caméléon. Mais rien ne devait être laissé au hasard; Cat serait bientôt exécutée.

Une fois le Caméléon parti, le grand patron et son premier lieutenant décidèrent de faire assassiner leur employé quand il aurait terminé son travail.

Après le meurtre de Cat, de son père et d'Étienne Beaulieu, le Caméléon devrait diparaître: il savait trop de choses.

— Dommage, c'était un bon élément, dit le lieutenant.

— Oui, mais il a commis deux erreurs. C'est trop grave. Je n'ai pas mis au point ce projet pour échouer alors que j'atteins mon but...

— C'est sûr, patron!

— Nous aurons ces terrains!

— Oui, nous les aurons, répéta le lieutenant.

Et il pensa à tout l'argent qu'ils gagneraient quand l'autoroute serait bâtie sur ces terrains: le grand patron avait réussi à soudoyer des membres du gouvernement. Si des crédits n'étaient pas votés pour l'agrandissement de l'hôpital, c'est lui, le grand patron, qui, contre certains pots-de-vin, pourrait acheter les terrains voisins de l'hôpital.

— Mais, patron, êtes-vous certain que personne d'autre ne peut découvrir la cellule artificielle? demanda le lieutenant.

— Sûr. J'ai lu les dossiers de Marcoux et Beaulieu. Ce sont leurs recherches qui déclencheraient tout. S'ils trouvent la cellule, l'hôpital va acquérir une renommée mondiale. Et on agrandira le laboratoire sur les terrains que je veux. Il me les faut! Dans trois ans, on construira une autoroute: je te jure qu'elle passera sur *mes* terrains, et c'est moi qui aurai en plus le contrat de construction!

Le lieutenant trouvait qu'une cellule microscopique avait des pouvoirs incroyables. Cependant, il n'était pas là pour discuter mais pour exécuter les ordres. Il se chargerait personnellement du Caméléon quand celui-ci aurait fait son boulot…

Pendant que le grand patron discutait avec son lieutenant du sort du Caméléon, Catherine tentait de convaincre son père qu'elle devait aller le chercher au laboratoire en reconstruction à la fin de ses cours. Elle jurait qu'elle pouvait l'aider.

— Mais non, ma chérie, je préfère

que tu restes à la maison. On en a déjà parlé.

— Oui, mais s'il t'arrive quelque chose?

Emmanuel caressa la joue de Catherine:

— Tu es adorable mais tu t'inquiètes pour rien.

— Pour rien? N'oublie pas que tu devais être là quand tout a sauté! On voulait te tuer! Tu ne sembles pas le réaliser!

— Cat! Tu exagères, tenta de dire Emmanuel.

— Non! Tu sais que j'ai raison…

— Alors, si tu as raison, tu peux comprendre que j'aime mieux que tu restes ici!

— Mais toi! Tu es en danger!

— Non, plus maintenant…

Catherine constata que son père était toujours aussi entêté: risquer sa vie pour aller travailler! Si, au moins, il avait une arme! Il fallait vraiment que Lôc et elle découvrent le bandit!

Comme elle l'avait promis, Catherine attendit Stéphanie à la fin des cours, le mardi suivant. Stéphanie parla presque une heure avec monsieur Pépin. Cat avait hâte de savoir ce qu'ils s'étaient dit. Après tout, il y a des couples qui ont une très grande différence d'âge et qui s'entendent très bien. Pourquoi pas Stéphanie et monsieur Pépin? Cat attendait son amie près du bureau de monsieur Pépin, au deuxième étage. Assise sur le bord d'une fenêtre, elle voyait toute la cour et les rues avoisinantes. Elle remarqua une voiture bleue garée en face de l'arrêt du bus. Un type blond en sortit plusieurs fois mais il se réinstallait toujours dans sa voiture. «Il doit attendre quelqu'un», se dit Catherine.

Quand Stéphanie rejoignit Catherine, elle vit aussi la voiture et s'étonna: «Tiens, il est encore là? Il attend depuis ce matin, ce grand blond...» Mais c'était le dernier de ses soucis et elle s'empressa plutôt de raconter sa conversation avec monsieur Pépin.

— Il m'a comprise, Cat! Monsieur Pépin m'a dit qu'il fallait attendre, que le

Le caméléon

temps arrangeait les choses!... C'est simple, je vais attendre d'avoir dix-huit ans. Il n'y aura plus de problème quand je serai majeure.

— Mais c'est long, cinq ans!

— Pas quand on aime, Kate! Il est tellement beau! Tellement intelligent! J'aimerais ça l'embrasser, tu ne peux pas savoir!

Comment, elle ne pouvait pas savoir? Parce que Stéphanie avait six mois de plus qu'elle, elle pensait toujours qu'elle en savait davantage!

— Tu sauras que je sais ce que c'est embrasser, Stéphanie Poulin. Je l'ai déjà fait, voyons!

Stéphanie faillit rire, mais elle se retint car elle voulait parler de monsieur Pépin. Elle répétait sans cesse qu'il était beau.

Parce que Stéphanie était son amie, Cat ne disait rien, mais elle ne trouvait pas monsieur Pépin si beau... Elle sourit, puis, plus grave, elle reparla de l'attentat qui avait failli tuer son père. Stéphanie lui dit qu'elle ferait mieux de ne pas se mêler de tout ça.

— Tu es peureuse...

— Non, Cat, je ne suis pas peureuse. Sinon, je ne serais pas amoureuse, dit Stéphanie. Il faut du courage pour aimer.

— Ce n'est pas la même chose! Ta vie n'est pas en danger! Monsieur Pépin n'est pas un criminel. Il ne pose pas de bombes.

— Tu ne comprends rien, comme toujours!

Et Stéphanie Poulin alla s'asseoir loin de Catherine Marcoux.

Le problème, pensait Cat, c'est que Stephy est susceptible… Mais elle pouvait bien bouder dans son coin! Maintenant, Cat ne parlerait plus qu'avec Lôc. Tant pis pour Stéphanie.

Le lendemain, au cours de français, Cat se fit réprimander par la prof parce qu'elle parlait avec Lôc. Cette prof ne savait donc pas qu'une misérable petite pause de dix minutes ne suffit pas! Surtout pour mettre au point un plan d'attaque pour piéger un faux gardien!

Madame Lauzier énervait Cat: parce qu'elle était prof, elle croyait toujours avoir raison. Elle dit à Cat qu'avec ses piteux résultats, elle ferait mieux d'écouter son cours.

— J'écouterais si votre cours était intéressant, mais là...

— Oh! dit madame Lauzier, rouge de colère, je crois qu'une petite visite chez le directeur s'impose. Tu reviendras avec un billet signé par lui et un autre signé par ton père!

Aïe! Emmanuel allait sûrement supprimer la télé pour la semaine. Ce n'était pas juste: c'était madame Lauzier qui était embêtante et c'est Cat qui payait!

Le directeur se contenta de faire un sermon à Catherine étant donné qu'elle ne venait pas souvent à son bureau. Cat l'écouta distraitement puis elle le quitta. Elle flâna dans les corridors car elle voulait manquer la fin du cours de français. Elle jeta un coup d'oeil par une fenêtre et elle aperçut la Renault bleue! Celle qu'elle avait vue avec Stéphanie! Le type attendait donc depuis deux jours? Cat courut prévenir Lôc.

Quand elle entra à toute vitesse dans la salle de cours, tout le monde regarda Catherine mais elle s'en foutait! Elle donna à madame Lauzier le papier signé par le directeur et s'installa aussitôt près de Lôc. Elle ne refit pas la gaffe de lui parler: elle lui écrivit un billet. Heureusement, la prof ne la vit pas le lui remettre. Immédiatement après avoir lu le message où Cat parlait de la voiture, Lôc leva la main pour sortir. Comme il était toujours extrêmement sage, la prof lui donna la permission en soupirant très fort. «Comme si ça la dérangeait que Lôc aille aux toilettes! songea Cat. Si elle n'aime pas enseigner, qu'elle change de métier!»

La cloche sonna au moment où Lôc revenait dans la salle de cours. Il avait vu la voiture.

— Tu dois être suivie. Et peut-être que moi aussi... Mais on n'en parlera pas aux flics...

— Je suis d'accord! dit Cat. Ils croiront qu'on invente pour se faire remarquer...

— La seule manière de savoir si tu es suivie, c'est de te faire suivre...

— Tu veux dire que je dois servir d'appât? demanda Cat en fronçant les sourcils.

— Oui, mais moi, je suivrai ton suiveur! Si je vois que la voiture bleue te suit, je préviendrai tout de suite les flics!

Cat n'avait pas trop envie d'être

l'appât, mais quand Lôc proposa de prendre sa place, elle refusa. Elle avait peur que le bandit ne le reconnaisse pas. Pour les Occidentaux, tous les Asiatiques se ressemblent et vice-versa. Pas pour Cat, bien sûr, qui ne confondrait jamais Lôc avec quelqu'un d'autre. Mais le faux gardien, lui, ne l'avait vu que quelques minutes. Il pourrait suivre un autre Vietnamien et le plan échouerait.

À la fin des cours, au lieu de prendre le bus, Cat marcha très lentement vers chez elle. Lôc la suivait derrière, à bicyclette, prêt à alerter les enquêteurs si la Renault se mettait à poursuivre Catherine. Mais au bout d'une demi-heure, il ne s'était rien passé et Cat prit l'autobus pour rentrer. La voiture ne devait pas appartenir au faux gardien…

Si, la Renault était bien conduite par le Caméléon. Mais il ne pouvait tout de même pas enlever ou tuer Catherine en plein jour, devant tant de témoins! Avant de tenter quoi que ce soit, il devait connaître les horaires de sa victime, ses allées et venues...

Quand elle entra chez elle, Catherine oublia presque l'échec du plan qu'elle avait mis au point avec Lôc. Sa chatte avait eu des petits: quatre minuscules boules de poil gris et noir. C'était sûrement Alphonse, le chat d'un voisin, qui était le papa. Cat appela aussitôt Stéphanie car celle-ci voulait un chaton. Elle n'était plus fâchée contre Catherine.

— Est-ce que je peux venir les voir demain?

— C'est d'accord! Ils sont superbes, tu verras!

Cat téléphona ensuite à Lôc pour lui offrir un chaton.

— J'aurais bien aimé, dit Lôc, mais mon frère est allergique au poil de chat. On peut seulement avoir des poissons...

— J'aimerais ça en avoir, des poissons rouges, dit Cat, mais Mistigri les mangerait sûrement. Même si je mettais un grillage sur le bocal, elle réussirait à l'enlever. Elle est très rusée.

Emmanuel Marcoux, lui, soupira quand il vit les petits.

— C'est la dernière fois, Catherine. On va faire opérer Mistigri... Il va encore falloir trouver des gens qui veulent des chatons...

— Mais ils sont si beaux!

Cat refusait qu'on opère Mistigri car elle aimait s'amuser avec les bébés. Elle adorait les chatons. Peut-être plus que les bébés humains qui crient tout le temps.

Au journal télévisé, on annonça qu'un suspect avait été arrêté concernant le meurtre de Marc Danjou.

Peu de temps après, des enquêteurs vinrent montrer des photos du suspect à Catherine. Était-ce le faux gardien?

— Non, dit Cat. Je suis presque certaine que ce n'est pas lui. Le nôtre avait une figure beaucoup moins ronde.

Lôc ne le reconnut pas non plus. Le criminel courait donc toujours!

Le lendemain, Emmanuel reçut un appel au moment où Catherine revenait de son cours d'*aïkido*. Il faisait une drôle de tête quand il raccrocha le récepteur.

— Il y a eu une autre bombe à l'hôpital! C'est la panique!

— Quoi? Encore? cria Cat. Où?

— Dans les locaux administratifs. Je n'y vais jamais: tu vois bien que ce n'est pas moi qu'on vise! C'est affreux! Je dois m'y rendre!

— Je viens avec toi!

— Oh non... Je suggère plutôt que tu ailles chez Stéphanie, si sa mère accepte.

Stéphanie était déçue de ne pas venir voir les chatons, mais Cat les lui décrivit très précisément. Stéphanie était presque certaine de prendre le tout noir. Cat l'approuvait: c'était le plus beau. Même si le tigré gris était très joli aussi.

Les deux amies allèrent dans la chambre de Stéphanie pour parler à l'abri des oreilles indiscrètes. Cat raconta ce qui venait de se passer à l'école, et le plan raté où elle devait servir d'appât.

— Mais tu es folle, Cat! C'est trop dangereux! Jure-moi de ne jamais recommencer! Tu es ma seule amie! Laisse les policiers s'occuper de tout ça! Laisse les adultes entre eux!

— Mais monsieur Pépin est un adulte et il t'intéresse...

— Oui, reconnut Stéphanie. Regarde...

Stéphanie lui montra sa dernière copie d'histoire. Monsieur Pépin avait griffonné quelques mots dans la marge: *Tu peux faire mieux. J'écris ceci car je sais que tu es capable. Je veux te pousser à te dépasser.*

— Tu peux faire mieux! Il a dit que je pouvais faire mieux, gémit Stephy. Pourtant, j'ai bien travaillé. Il ne m'aime plus. C'est une façon de me le dire!

— Mais non! Tu te trompes complètement, dit Cat même si elle n'en était pas sûre — il fallait bien encourager Stéphanie! Il a écrit que tu pouvais te dépasser: ça veut dire qu'il a confiance en toi, Stephy. Il voulait peut-être te provoquer, voir si tu es susceptible. Si tu as bon caractère. Il aime peut-être les femmes plutôt calmes, alors il a gribouillé ça. C'est un test: si tu réagis mal, il va penser que tu n'es pas capable de supporter les remarques.

— Tu crois? demanda Stéphanie.

— Bien sûr, c'est une tactique. Les hommes sont curieux parfois, tu peux te fier à moi.

— Qu'est-ce que je dois faire?

— Rien. Tu fais comme si la remarque ne t'avait pas dérangée. Mais il faut que ton prochain travail l'éblouisse!

— Qu'est-ce que tu t'imagines, Kate? Je ne me suis jamais autant appliquée! Il faudrait que quelqu'un m'aide.

Catherine ne pouvait pas être très utile car elle n'était pas très forte en histoire, elle n'aimait que les sciences pures. Stéphanie aurait pu demander à Suzanne Morneau, mais Cat et elle la détestaient car elle se prenait pour une star! Elle avait toujours des vêtements neufs car sa mère travaillait dans une boutique de mode. En plus, elle était souvent la première de la classe. Et puis après? Ça ne la rendait pas plus aimable!

— Si tu demandes à Suzanne Morneau, elle va le répéter à tout le monde. Il faudrait trouver un ancien étudiant de monsieur Pépin: on saurait quel sujet il aime. Ou alors, il faut choisir un sujet que monsieur Pépin ne connaît pas trop. Il n'osera pas te mettre une mauvaise note ou critiquer.

Les deux amies essayaient de trouver ce sujet quand Cat eut une excellente idée: Stéphanie devait faire une entrevue avec une célébrité: un grand historien ou quelque politicien, ou encore une avocate bien connue qui pourrait parler des premières lois faites au pays... Monsieur Pépin ne pourrait pas contester ce que Stéphanie écrirait puisque ce ne serait pas ses paroles à elle!

Stéphanie était ravie.

— Kate, tu es la meilleure amie que j'ai jamais eue de toute ma vie!

Chapitre III

Pendant que Catherine et Stéphanie cherchaient une célébrité à interviewer, le Caméléon écoutait les communiqués à la radio. On parlait d'attentat sauvage, de meurtre crapuleux, de lâcheté. Les policiers avouaient cependant qu'ils n'avaient aucun indice. L'attentat n'avait même pas été revendiqué.

«Tiens, ils n'ont pas reçu ma lettre», se dit le Caméléon. Mais il continuait de sourire. Quand les enquêteurs recevraient sa lettre, lui serait occupé ailleurs! À tuer! Il relut le texte qu'il avait envoyé: *L'apocalypse est proche! L'enfer est parmi nous! Dans la poudre et le sang! Vous vivrez les guerres que vous payez à l'étranger!* Et il avait signé: *La main noire de la liberté.*

Quelle liberté? se demanderaient les personnes qui liraient la lettre. Certaines penseraient qu'il s'agissait d'un prophète fou, d'autres pencheraient pour une faction politique puisqu'il était question de guerres. Il fallait que les opinions soient multiples. Qu'on ne devine surtout pas la raison de ces actes criminels!

Catherine et Stéphanie n'avaient pas encore trouvé la personne célèbre quand Emmanuel vint chercher sa fille. Il l'emmena manger au restaurant. Cat était ravie! Elle prit des escargots parce qu'elle adorait le beurre à l'ail, puis une brochette d'agneau. Avec du gâteau forêt noire au dessert. C'était très bon. Même si Emmanuel avait l'air préoccupé; il pensait aux attentats.

— Papa, est-ce que tu crois qu'il va y avoir encore des sabotages?

Emmanuel soupira.

— Je le crains, hélas... Si seulement on savait quel but poursuit le criminel.

— Tu n'en as aucune idée?

— Si... mais je n'ai aucune preuve. Alors je préfère me taire. Ce n'est qu'une intuition.

— Dis-moi ton idée, papa!

— Non, c'est trop compliqué et je ne veux pas te mêler à tout ça. Je crois même que je vais demander à la mère de Stéphanie de te garder chez elle jusqu'à ce que tout soit rentré dans l'ordre. Je m'inquiéterais moins.

— Mais je ne veux pas y aller demain! C'est Stephy qui doit venir: elle veut voir le chaton!

— O.K. pour demain, je serai à la maison. Mais je préférerais que tu rentres chez ton amie après la classe, lundi. Je ne rentrerai pas à la maison avant dix heures le soir! J'ai encore deux réunions.

Emmanuel détestait les réunions; c'était, selon lui, une perte de temps. Cat, elle, aimait bien. À l'école, quand ils se réunissaient en équipes pour des travaux, elle travaillait toujours avec Stéphanie. Elles terminaient très vite leur ouvrage et ensuite elles parlaient de choses plus importantes.

Catherine et son père regardèrent ensemble le film de fin de soirée: *Les oiseaux* d'Alfred Hitchcock. Emmanuel dit que c'était impossible que des volatiles attaquent ainsi les gens. Il lui parla aussi de la mère de Lôc: il l'avait rencontrée à l'hôpital car elle avait travaillé toute la journée au service des urgences.

— Elle est très bien: très calme, très efficace: dans la pagaille qui a suivi la deuxième bombe, on a apprécié son expérience.

Cat téléphona à Lôc pour lui répéter ce que son père avait dit au sujet de sa mère, puis ils discutèrent de l'attentat. Pour pouvoir en parler à l'école sans qu'on les comprenne, Lôc enseigna à Cat quelques mots-clés en vietnamien.

— «Policier», c'est *cahn sât*, et «espion», c'est *gian diêp*. Il faudra les répéter à Stéphanie.

— Elle vient voir les chatons demain; veux-tu venir aussi?

— Je ne sais pas si je pourrai: je devrai peut-être rester à la maison pour garder ma petite soeur: je te rappelle demain.

Catherine et Emmanuel finissaient de laver la vaisselle du déjeuner quand Lôc téléphona pour dire qu'il viendrait dans l'après-midi. Cat venait de raccrocher quand la sonnerie retentit de nouveau. C'était pour Emmanuel, mais Cat ne reconnut pas la voix.

Emmanuel essuyait la dernière assiette et il se frotta les mains sur le tablier avant de répondre.

— Oui? Pardon? Ah bon? J'arrive... Oui.

Il se tourna ensuite vers sa fille.

— Il faut que j'aille à l'hôpital. On met au point les mesures en cas d'un nouvel attentat. Ça me rassure que tes amis viennent passer l'après-midi avec toi. Je serai de retour en début de soirée. Tu te débrouilleras?

— Papa! Je ne suis plus un bébé!

Emmanuel ébouriffa les cheveux de Cat, juste une seconde: le temps de réaliser qu'elle avait mis de la laque. Il sentit le bout de ses doigts et grimaça.

— C'est pour que mes cheveux restent collés sur les tempes. C'est à la mode, papa!

— C'est une vieille mode, alors. On

mettait un genre de colle, nous aussi, dans nos cheveux pour les garder bien lisses vers l'arrière.

Catherine rit: elle imaginait difficilement son père avec des cheveux plaqués. Il avait une tignasse hirsute qu'aucun peigne ne parvenait à discipliner. Alors qu'il partait, Catherine l'embrassa en lui jurant pour la centième fois qu'elle ferait attention aux feux de la cuisinière. Emmanuel avait très peur du feu. Elle aussi: elle était toujours très prudente.

Stéphanie entra par la porte de derrière au moment où Emmanuel Marcoux sortait par la porte de devant. Le Caméléon était caché non loin de la résidence des Marcoux pour surveiller les faits et gestes de ses prochaines victimes. Il ne vit donc pas Stéphanie rentrer pour rejoindre son amie. Et comme la sonnerie de la porte arrière retentissait, Cat ne raccompagna pas son père à sa voiture.

Pendant que Catherine montrait les chatons à Stéphanie, le Caméléon attendait dans sa voiture: une Cadillac grise. Il avait changé d'automobile et avait remis la perruque rousse et la barbe qu'il portait quand il suivait Lôc. Même s'il avait hâte d'en finir, le Caméléon préférait patienter un bon quart d'heure avant de pénétrer dans la maison. Au cas où Emmanuel aurait oublié quelque chose et devrait revenir chez lui.

Les quinze minutes écoulées, le Caméléon sonna à la porte en tenant un mouchoir teinté de rouge contre son front, comme s'il s'était grièvement blessé. Catherine regarda qui sonnait à travers l'oeil magique. Elle ne connaissait aucun homme roux et son père lui avait bien recommandé de n'ouvrir à personne. Stéphanie regarda à son tour.

— Il saigne, Kate!

— J'ai vu! Tant pis: j'ouvre. Il doit avoir eu un accident de voiture dans la courbe noire.

La courbe noire était ainsi baptisée parce qu'il y avait eu plusieurs accidents à ce tournant de la route. Ce n'était pas la première fois qu'on sonnait à la porte des Marcoux pour appeler une ambulance. Catherine ne se méfia pas, surtout quand Stéphanie lui dit qu'elle avait vu une voiture immobilisée alors qu'elle était descendue de l'autobus un peu plus loin.

— C'est sûrement le type de la voi-

ture grise. Je n'ai pas fait attention sur le moment. Je ne pensais pas qu'il y avait encore quelqu'un dans la voiture; elle était près du fossé.

Le Caméléon sonna à nouveau et les deux filles ouvrirent sans plus réfléchir!

L'homme referma vivement la porte derrière lui et la verrouilla avant que les deux amies aient le temps de réagir.

Instinctivement, Catherine et Stéphanie reculèrent: le blessé se conduisait bien étrangement! Le Caméléon laissa tomber son mouchoir taché d'encre rouge, puis il arracha sa perruque et sa barbe. Et Cat et sa copine virent qu'il n'y avait aucune plaie à son front!

Une horrible grimace déforma le visage du meurtrier quand il réalisa que Catherine n'était pas seule! Qui était cette gamine? Il devrait se débarrasser d'elle aussi, sinon il y aurait encore un témoin. Et un témoin qui l'aurait vu sans lunettes, sans barbe, sans perruque et sans moustache! Et qui le regardait comme si elle le reconnaissait malgré sa peur...

Le Caméléon se précipita sur les deux filles en tenant un lacet à la main pour les étrangler. Elles coururent chacune dans des directions opposées. Catherine se rua sur le téléphone pour appeler la police, et Stéphanie courut vers la porte de la cuisine. Malheureusement, Cat l'avait verrouillée, comme son père le lui avait recommandé, après l'arrivée de Stéphanie.

Le Caméléon attrapa Catherine par le bras alors qu'elle décrochait le récepteur et il arracha d'un coup sec le fil du téléphone. Il allait en faire un noeud coulant pour le passer autour du cou de Catherine et l'étouffer quand Stéphanie lui donna un coup dans le dos avec un rouleau à pâte. Le Caméléon sursauta et Cat profita de cette diversion pour lui donner un coup de pied sur un genou afin de lui échapper. Le meurtrier hurla mais se ressaisit vite.

— Ça suffit! Vous allez y passer!

Après avoir frappé le Caméléon, Cat et Stéphanie ressentirent une sorte d'hébétude et elles ne bougèrent pas pendant quelques secondes. Le Caméléon se jeta sur Catherine pour la faire taire, mais Stéphanie réussit à lui donner un croc-en-jambe. Il bascula et lâcha son bras, surpris et déséquilibré. Cat le frappa avec le récepteur téléphonique pour l'assommer et se libérer. Elle réussit à moitié. Il était juste étourdi mais Catherine se dégagea rapidement.

— À la cave, Stéphanie!

Elles couraient plus vite qu'elles n'avaient jamais couru! Elles faillirent dégringoler l'escalier mais elles eurent le temps de s'enfermer dans le laboratoire d'Emmanuel juste avant que le Caméléon les rejoigne. Il essayait d'enfoncer la porte.

— J'ai un passe-partout! cria-t-il.

— Ça ne vous sert à rien! La serrure est une serrure à photoradiations qui ne réagit qu'à ma voix et celle de mon père. Il doit protéger ses secrets!

Pour une fois, les inventions d'Emmanuel Marcoux servaient!

Le Caméléon rageait: ce n'étaient tout de même pas deux gamines idiotes qui allaient avoir raison de lui! Il se calma en examinant la porte; il y avait un espace assez large dans le bas. Il mettrait le feu derrière; les filles seraient bien obligées de sortir pour ne pas être asphyxiées. Cependant, si Cat disait vrai, il y avait des secrets dans la pièce.

Aurait-il le temps de les voler avant de suffoquer lui-même après avoir tué les filles? C'était trop risqué. Il devait trouver une autre solution. Ce serait la patience...

— Je ne suis pas pressé, espèces de garces! Je vais rester devant cette porte jusqu'à ce que vous sortiez... Vous aurez bien faim un jour, dit le Caméléon.

— Mon père vous tuera quand il rentrera! rétorqua Catherine.

— Ton père? Je le tuerai bien avant. Il ne sait pas que je suis ici.

Stéphanie cria que sa mère aussi viendrait et qu'il ne pouvait pas tuer la terre entière. Mais elle n'en était pas certaine: ce criminel était fou!

Cat serrait les dents pour ne pas pleurer et Stéphanie se mordait les lèvres.

— Il faut se débarrasser de ce tueur, sinon il va abattre mon père et ta mère, dit Catherine à voix basse.

— Mais qu'est-ce qu'on peut faire? Personne ne sait qu'on est en danger... C'est bizarre, j'ai l'impression que j'ai déjà vu cet homme...

— Quoi? Où?

— Oui! C'est le type qui attendait dans l'auto en face de l'arrêt d'autobus... Le blond!

Cat s'exclama:

— C'est sûr! C'est le faux gardien de l'hôpital! C'est sa voix, je reconnais sa voix! C'est lui qui nous a bousculés près du labo, Lôc et moi. Oh! Lôc! Lôc!

— Quoi? Lôc?

— Il doit venir, lui aussi, voir les chatons! Il ne faut pas qu'il se fasse attraper!

— Comment veux-tu qu'il devine qu'on est prisonnières?

— Il faut qu'on ressorte et qu'on neutralise le bandit!

— Es-tu folle, Cat? Il a dit qu'il allait nous tuer! Moi, je ne bouge pas d'ici!

— J'ai un plan!

Catherine expliqua à Stéphanie qu'elles allaient aveugler le tueur en lui envoyant de l'ammoniac dans les yeux.

— De l'ammoniac?

— Ou un autre acide. L'important, c'est qu'il soit hors d'état de nuire le temps qu'on s'enfuie de la maison!

— Et ensuite? Votre demeure est très loin de celle des voisins. On n'aura pas le temps de s'y rendre avant qu'il nous rattrape. Il est en voiture, lui!

— On n'a rien à perdre! S'il tue ta mère et mon père, il va nous tuer aussi. Viens m'aider à fabriquer le produit.

Heureusement, Stéphanie était la deuxième de la classe en chimie. Les deux amies trouvèrent les ingrédients nécessaires à la fabrication de leur arme.

Pendant ce temps, Lôc était descendu du bus. Il avait remarqué la voiture grise garée à l'écart de la route. Et il avait trouvé ça bizarre... Qui pouvait abandonner une voiture neuve?

Lôc venait d'un pays où il y avait la guerre, et donc du danger, et il se méfiait naturellement. Il se rendit chez Catherine en surveillant sans cesse les alentours. Il flairait le danger et il décida de ne pas sonner tout de suite à la porte d'entrée. Il préférait regarder par les fenêtres s'il ne voyait pas quelque chose de suspect. Et par la vitre du salon, il vit un fauteuil renversé, le fil du téléphone arraché.

«On s'est battus dans cette pièce», se dit-il.

Il faillit tenter d'entrer dans la maison. Mais si c'était le propriétaire de la voiture qui avait fait ce saccage, il devrait se mesurer à lui. Lôc pratiquait le karaté depuis cinq ans, mais serait-ce suffisant? Il trouva un baton de balle-molle dans le garage attenant à la maison. Puis il revint vers la porte d'entrée. Celle-ci était bien verrouillée. Et celle de l'arrière aussi. Que faire?

Il cria «Catherine» pour l'avertir qu'il était là. Il essaya en même temps de deviner où elle était dans la maison et si elle pouvait lui répondre.

Cat et Stéphanie qui l'entendirent se mirent à crier:

— Va-t'en, Lôc! Il va te tuer!

De l'autre côté de la porte, le Caméléon se précipita aussitôt pour aller voir qui rôdait autour de la maison. Il n'attendait pas le père de Catherine avant la fin de la journée car il savait qu'il était en réunion à l'hôpital. Qui venait le déranger?

Quand le Caméléon reconnut le Vietnamien qu'il avait bousculé avec Cat, sa fureur décupla! Qu'est-ce que cet imbécile venait faire là? Le bandit ouvrit la porte arrière pour surprendre

Lôc qui avait sonné à la porte avant. C'était justement ce que Lôc espérait. Alors que le Caméléon contournait silencieusement la maison pour attraper Lôc, celui-ci faisait la même chose en sens inverse. Il entra ainsi par la porte arrière laissée ouverte par le tueur.

Quand le Caméléon vit qu'il n'y avait plus personne à la porte d'entrée, il comprit que Lôc l'avait joué. Il pénétra en hurlant dans la maison et se précipita vers la cave.

Une mauvaise surprise l'attendait: les trois amis avaient tendu une corde dans l'escalier. Le Caméléon déboula onze marches et atterrit dans un piteux état! Malgré la peur qu'ils avaient éprouvée, Cat, Stéphanie et Lôc rirent en voyant les grimaces de douleur du Caméléon. Avant qu'il ne réagisse, ils se ruèrent sur lui et l'attachèrent avec une grosse corde.

— Il faut appeler la police, dit Lôc.

— On ne peut pas, le fil est arraché!

— Ah oui! J'avais oublié, je l'ai vu par la fenêtre. C'est d'ailleurs comme ça que je me suis douté de quelque chose. Qu'est-ce que ce bandit voulait?

Le caméléon

Le caméléon

— Tu ne l'as pas reconnu? Moi non plus, dit Cat. Mais imagine-le avec une moustache et des lunettes...

— C'est le saboteur!

— Oui! Sale *gian diêp*! fit Catherine avec mépris.

— Qu'est-ce qu'on fait? demanda Stéphanie. Il faut qu'un de nous aille chercher les policiers. Je peux y aller...

Catherine n'avait pas tellement envie de rester avec le Caméléon. Il répétait qu'il avait des complices qui viendraient le délivrer et les tuer. Ils leur feraient subir les pires tortures s'il n'était pas libéré immédiatement.

— Prends la bicyclette, Stéphanie, dit Lôc. Tu iras plus vite. Nous, on va s'enfermer dans le laboratoire jusqu'à ton retour avec les policiers. Mais fais vite!

Ils traînèrent le Caméléon dans le laboratoire. Comme il se débattait, Cat lui fit respirer de force de l'éther. Il était toujours aussi lourd ensuite, mais au moins il ne proférait plus d'horribles menaces!

— Tu crois que c'est vrai qu'il a des complices? demanda Catherine à Lôc.

— Je ne sais pas. Mais ça m'étonnerait. Les espions n'agissent pas en gang.

— Tu en es sûr?

— Sûr, dit Lôc qui mentait un peu.

Il ne connaissait pas tellement les agissements des espions et des tueurs. Il disait cela pour rassurer Catherine. Après tout, il était son aîné de six mois.

— Fouillons-le, Cat! Il a peut-être des armes sur lui.

— Il les aurait utilisées, non?

— Et s'il avait du cyanure? Pour se suicider en cas d'arrestation? Pour éviter d'être pendu?

— Non, on ne pend plus les gens depuis longtemps. Il n'y a pas de peine capitale ici. Au cas où on arrêterait quelqu'un qui n'est pas coupable... Un plan de l'hôpital!... On n'aurait pas dû endormir l'espion avec l'éther, on aurait pu lui poser des questions. Je voudrais bien savoir quel était son but!

— Les policiers vont l'interroger.

Cat fit une moue:

— Oui, et ensuite ils ne voudront rien nous dire. Ils prétendront que ce sont des secrets d'État et qu'on est trop jeunes. Ce n'est pas juste! On est toujours trop jeunes!

Cat se trompait. Les policiers expliquèrent que le Caméléon était recherché depuis longtemps par l'Interpol pour des meurtres à l'étranger. Ses derniers crimes et les attentats devaient saboter les recherches en laboratoire pour qu'on ne soit pas tenté d'agrandir ce dernier. Car les nouvelles installations auraient été construites sur des terrains convoités par le grand patron du Caméléon.

Pour Catherine, Lôc et Stéphanie, c'était vraiment fou de tuer tant de gens pour des terrains où il n'y avait même pas d'or. Mais ils n'en dirent rien à personne. Surtout pas aux journalistes!

Ceux-ci étaient venus les interroger à peine une heure après que les policiers furent arrivés. Stéphanie avait vraiment pédalé comme si des dragons avaient été à ses trousses! Dans sa hâte, elle avait même oublié son amour pour monsieur Pépin, ce qui ne lui était pas arrivé depuis longtemps! Elle avait frappé à la porte des voisins qui n'avaient pas compris ce qu'elle racontait, mais qui lui avaient permis d'utiliser leur téléphone.

Les policiers doutaient un peu de ce que Stéphanie leur racontait. Mais comme il s'agissait du responsable des attentats, ils décidèrent de l'écouter attentivement. Si elle disait la vérité?

Ils arrêtèrent le Caméléon facilement et félicitèrent les trois amis de leur courage. Quand le père de Catherine et la mère de Stéphanie rentrèrent à la maison, elle était remplie de reporters. Cat embrassa Emmanuel qui ne comprenait rien aux explications trop rapides qu'elle lui fournissait! Il finit par tout savoir et fut très très fier d'elle.

Il remerciait Lôc de son aide et voulait voir Stéphanie, mais celle-ci posait pour un photographe près de la bicyclette. Catherine sourit malicieusement à son père.

— Je crois que ce photographe est en train de faire oublier monsieur Pépin à Stephy. Tant mieux, je ne savais pas qui on pouvait interviewer!

— Interviewer? Quoi? Qui?

— Je te raconterai une autre fois, dit Cat. Et je te préviens: ce n'est pas moi qui fais la cuisine ce soir. Avec tout ce désordre!

— Non, dit Emmanuel en riant. Je vous emmène tous au restaurant!

La montagne Noire

Chapitre I

Ouf! Je ne sais pas ce que j'aurais fait si les parents de Stéphanie avaient refusé qu'elle vienne avec nous en vacances. Mon père a loué un chalet dans un coin perdu au bord d'un lac car il aime la tranquillité, la pêche et la cueillette des champignons. Moi, je préfère les manger. Si Stéphanie ne nous avait pas accompagnés, je me serais vraiment ennuyée…

Stéphanie, c'est ma meilleure amie; à l'école cette année, on avait seulement trois cours ensemble mais on se retrouvait durant les pauses et on se téléphonait chaque soir.

Papa se demande ce que je peux bien avoir à raconter à Stéphanie. Mais tout! Tout! J'adore mon père mais ce n'est pas à lui que je vais confier mes histoires d'amour. Je suis certaine que Pierre Trépanier voudrait sortir avec moi.

Stéphanie, elle, s'est presque consolée de son amour déçu; elle aimait monsieur Pépin, notre prof d'histoire. Je lui disais qu'il était un peu trop vieux pour elle mais elle a mis pas mal de temps avant d'admettre que j'avais raison. Ensuite, Stephy a rencontré un photographe: Olivier Dubois. C'est un peu pour le revoir qu'elle a accepté de m'accompagner au chalet. Dès qu'elle m'a entendue parler des Grands Pieds, Stéphanie s'est enthousiasmée.

— Catherine! J'ai un plan: on va faire un reportage sur ces Grands Pieds!

— Un reportage?

— Oui! Si on découvre qu'il existe des Grands Pieds dans la région où vous passez les vacances, on va être célèbres! On racontera notre chasse aux monstres dans les journaux et il y aura des photographes et…

— Olivier Dubois, c'est ça? Tu as vraiment oublié monsieur Pépin! C'est aussi bien…

— Ce n'est pas la question, Cat, ce n'est pas la même chose…

«Pas la même chose», c'est l'argument de Stéphanie Poulain quand elle ne sait pas quoi répondre. Ou bien elle me dit que je comprendrai quand j'aurai son âge... On a seulement six mois et deux jours de différence! Mais je n'ai pas contrarié Stéphanie car je voulais absolument qu'elle vienne avec moi au chalet. Et son idée d'enquêter sur les Grands Pieds m'emballait! Cependant, je me demandais bien comment nous allions

procéder. Inutile de compter sur papa, il ne croyait pas à l'existence des Grands Pieds.

J'avais très peu d'information sur ces bêtes étranges. Je savais juste que les Grands Pieds sont une sorte de singe préhistorique. Ils ont une fourrure très épaisse — pour les protéger du froid, probablement. Il paraît qu'ils mesurent près de deux mètres et pèsent trois cent cinquante kilos! Des gorilles géants! Ils vivent aux États-Unis mais certains témoins prétendent en avoir vu dans le nord du Québec et à la frontière américaine.

— C'est une fable, m'a dit papa quand je lui ai parlé des Grands Pieds pour la première fois.

— Non! Non! On a relevé des empreintes énormes, au sud-ouest de l'État de Washington!

— Ce sont sûrement de fausses empreintes, faites par un farceur... Il n'y a aucune preuve scientifique de l'existence de ces primates. Que des suppositions! C'est comme pour le monstre du Loch Ness!

— Rien ne prouve qu'il n'est pas

vivant, lui aussi! ai-je rétorqué. Mais je savais bien que sans constatations sérieuses et inattaquables, mon père continuerait à douter de l'existence des Grands Pieds.

Avant qu'on parte pour le chalet, Stephy m'a redemandé si je croyais vraiment que les Grands Pieds pouvaient vivre au Québec ou si on allait enquêter pour rien.

— Tu n'as plus confiance? Je te répète que j'avais déjà entendu parler de ces monstres avant de lire cet article sur les Grands Pieds dans un journal français. L'été dernier, le vieux Jack qui vivait retiré dans une cabane en pleine forêt m'a raconté qu'il avait vu une sorte de primate géant dans les parages. «Un yeti, ma petite fille», m'a-t-il dit.

— Il faudra lui en reparler dès qu'on arrivera au chalet!

— Impossible, Stéphanie. Jack est mort cet hiver... C'est Jean-Marc, l'ami de papa qui habite le village le plus près de notre chalet, qui nous a annoncé son décès en janvier. Il était triste. Moi aussi. Tout le monde appréciait le vieux Jack; il connaissait parfaitement tous les sentiers de la forêt. Pourtant, elle est très grande et s'étend en s'élevant dans la montagne.

Jack a appris à Jean-Marc, quand il était petit, à distinguer les bons champignons des mauvais. À son tour, Jean-Marc a initié papa à la mycologie quand nous avons acheté le chalet, il y a trois ans. Jean-Marc s'intéresse également à l'observation des oiseaux. Il est très fort! Il peut identifier un oiseau à son chant! Moi, il faut que je le voie, et de près! Je me promène toujours avec mes jumelles autour du cou, comme papa, mais je ne les utilise jamais assez rapidement. L'oiseau s'envole avant que je n'aie le temps de le repérer: c'est superfrustrant!

Quand nous sommes arrivés au chalet, il y avait un soleil magnifique qui illuminait tout le lac et papa a décidé d'aller pêcher aussitôt.

— Je vous promets des truites pour souper!

C'est ce qu'il me dit chaque été mais je ne crois pas qu'il en pêche autant qu'il en rapporte; il doit en acheter à monsieur Plouffe, le garde-chasse.

— Comment peux-tu croire ça? s'est indignée Stéphanie qui adore mon père. Elle prend toujours sa défense.

— Quand je vais pêcher avec papa, il n'attrape pas le moindre poisson. Quand il y va seul, il revient avec trois, quatre, cinq truites... Curieux, non?

— Non, ça ne veut rien dire du tout! Ça doit être toi qui fais fuir le poisson, a dit Stephy en riant.

— Bof!... Je m'en fiche; l'important, c'est qu'on les mange, ces truites arcs-en-ciel. Mon père a donc mis son affreux chapeau où il a piqué des dizaines de mouches multicolores et il est parti en sifflotant.

Stéphanie et moi, on a rangé notre chambre. On a compté sept toiles d'araignées... Je n'aime pas trop ça; on les a vite balayées! Ensuite, on a accroché nos vêtements dans la garde-robe. Puis on a collé la photo de Jim Battes sur la porte. Jim Battes, c'est le chanteur du groupe Emotion. On est allées le voir sur scène, Stephy et moi. Il nous a donné son autographe et nous a dit qu'on était mignonnes! Wow! J'espère qu'il reviendra l'an prochain en tournée. Mais cette fois, mon père ne nous accompagnera pas au spectacle. Il déteste le rock.

— C'est trop bruyant! Et discordant! Comment peux-tu supporter?

Et lui? Il écoute de l'opéra! Je suis certaine qu'il ne comprend même pas ce qu'on chante. Mais toutes les fins de semaine, je dois supporter les cris de *Norma* ou de *Manon*! C'est l'avantage du chalet: il n'y a pas de chaîne stéréo. Alors pas d'opéra! Mon père veut vivre «loin de la civilisation». On n'a pas de téléphone non plus. Si on doit appeler, on va au village, à six kilomètres du chalet. Heureusement que Stephy a pu venir avec moi car je n'ai pas la patience d'écrire des lettres!

— On écoute Emotion? a proposé Stéphanie en sortant son magnétophone de sa valise. C'était un secret entre elle et moi; j'avais bien juré à papa de laisser mon appareil à la maison mais Stéphanie n'avait rien promis. On faisait jouer nos cassettes quand papa était absent. On avait bien deux bonnes heures devant nous avant que papa ne pêche ses fameuses truites!

On a revêtu nos maillots de bain et on s'est installées sur la galerie. Il faisait très chaud, presque trop: je ne suis pas capable de rester allongée à bronzer; je brûle et ça m'ennuie. Aussi, quand papa est enfin revenu, j'avais très envie de me baigner pour me rafraîchir.

L'eau était glacée et me coupait le souffle! Stephy s'est trempée jusqu'à la taille en poussant des petits cris. Moi, je me suis mouillée en entier, sauf la tête. Mais vite! Très vite! Papa riait jusqu'à ce qu'on l'arrose; il a vu comme l'eau était froide! On s'est rhabillées rapidement pendant que papa installait ses grilles sur le foyer de pierres pour y cuire ses poissons.

— Jean-Marc va venir souper avec nous, a dit papa. Je l'ai croisé de l'autre côté du lac. Il a une grande nouvelle à nous annoncer!

— Quoi? Une nouvelle?

— J'ai promis de me taire, a fait papa avec un drôle de sourire.

Pour le repas, Stéphanie a préparé une salade de concombres et j'ai râpé des carottes, le légume préféré de mon père.

Pour dessert, on a décidé de faire fondre des guimauves au-dessus des braises.

Jean-Marc a changé: il a coupé sa barbe et ses moustaches, il a l'air plus jeune. Mais surtout, ses yeux pétillent joyeusement derrière ses grosses lunettes. Il nous a vite appris pourquoi il était si heureux.

— Je suis en amour, mes amis! En amour!

— En amour? me suis-je étonnée. J'avais toujours pensé que Jean-Marc ne se passionnait que pour la nature, les oiseaux et les champignons.

— Eh oui! J'ai rencontré Solange à une manifestation écologique et... on ne s'est plus quittés. Vous allez l'aimer, elle est belle, douce, intelligente, gentille, merveilleu...

— On a compris, Jean-Marc, a dit papa en se moquant gentiment de son ami.

— Vous allez vous marier? a demandé Stéphanie qui adore les mariages romantiques avec de grandes robes blanches en dentelle. (Moi, j'aurais peur de m'enfarger en marchant!)

— Je ne sais pas, a dit Jean-Marc,

en haussant les épaules. Ce n'est pas urgent... Et puis nous ne sommes pas les seuls à décider. Il faut compter avec Barthélemy..

— Barthélemy?

— C'est le fils de Solange. Il a le même âge que toi, Catherine. Il est très sympathique. C'est un sportif... enfin... avant que... peut-être que...

Jean-Marc s'est mordu la lèvre sans finir sa phrase, subitement inquiet, abattu.

— Tu ne t'entends pas bien avec lui? a dit papa. Ça arrive parfois. Mais vous allez probablement vous habituer l'un à l'autre et...

— Non, ce n'est pas le problème. Pourtant, c'est aussi grave. Et j'espère que vous pourrez m'aider.

— T'aider à quoi?

— Au printemps, Barthélemy a eu un accident; il roulait à bicyclette quand un chauffard l'a heurté avec son automobile. Il a rebondi et s'est fracturé le crâne. Il a été très longtemps inconscient. À son réveil, on a constaté qu'il ne voyait plus. Il a subi plusieurs opérations qui semblent avoir réussi mais on ne le saura

vraiment que dans quelques semaines... Il faut que le temps fasse son oeuvre. Et que Bart reste tranquille durant sa convalescence.

— Pauvre lui! a dit Stephy en même temps que moi.

— Il ne voit pas du tout? a demandé

papa.

— Oui, mais si peu; il distingue le jour de la nuit. Tout devrait se préciser lentement. Pour l'instant, il a besoin de sa canne. Et il s'ennuie. Solange s'en occupe énormément. Et ils ont emmené avec eux Nathalie, la cousine de Bart. Mais elle est plus vieille que Bart et elle part souvent en expédition; elle fait de l'alpinisme.

— On ira jouer avec Bart, ai-je dit. On trouvera bien quelque chose à…

— Vous pourrez nager dans la piscine.

— Quelle piscine?

— Solange a loué la villa des Hirondelles pour l'été…

La villa des Hirondelles! Génial! J'ai toujours voulu la visiter mais les gens qui la louaient les années précédentes n'étaient pas du tout sociables. Ils détestaient les enfants, ils les trouvaient trop bruyants. Ils ne nous ont jamais invités à prendre un jus de fruits ou un café, papa et moi.

— Il y a une piscine et un terrain de tennis, continuait Jean-Marc, vous verrez ça demain en hélicoptère.

— En hélicoptère? s'est exclamée Stéphanie.

— C'est la tradition: chaque été, Jean-Marc nous fait survoler la région, lui a expliqué papa. Dis donc, ma Catherinette, on ne devait pas faire fondre des guimauves?

J'avais complètement oublié le dessert: c'est dire comme Jean-Marc m'avait distraite! Je suis allée chercher le sac de guimauves. J'en ai mangé sept, Stéphanie deux. Elle était trop énervée à l'idée de voler en hélicoptère pour en avaler davantage.

Nous étions très bien ensemble à bavarder gentiment autour du feu de bois. Heureusement pour moi, les flammes éloignent toujours les maringouins. Sinon, ils m'auraient dévorée: je dois avoir un sang d'excellente qualité.

Durant la nuit, j'ai rêvé à Barthélemy, il avait les cheveux bouclés. À huit heures, Stéphanie et moi étions prêtes à partir et nous avons fait du café pour réveiller papa. Il devait nous conduire au bureau de Jean-Marc, au village.

— Vous êtes bien pressées, s'est moqué papa. Tu ne te lèves pas si vite pour aller à l'école, Cat...

Évidemment! Entre un cours de français et un tour d'hélicoptère, que préférez-vous? Moi, j'adore le ciel, les astres, les nuages, les planètes, la voie lactée. Ça me passionne. Je vais être astronaute. Papa va m'offrir un télescope pour mon anniversaire à la fin de l'été.

Ça devait être une surprise mais comme il a dû glisser mon cadeau dans le coffre de l'automobile, c'était inutile d'essayer de me le cacher, c'est beaucoup trop gros. Pour une fois, j'étais ravie de célébrer mon anniversaire au chalet; il y a plus d'étoiles qu'à la ville. Quand il fait très chaud, des étoiles filantes fusent de partout. Il faut faire un voeu.

— C'est de la superstition, a grogné Stéphanie. L'an dernier, j'ai vu une étoile filante et j'ai souhaité que monsieur Pépin m'aime. Tu sais aussi bien que moi que ça n'a pas marché...

Chapitre II

L'hélicoptère faisait un bruit d'enfer mais je dois m'habituer à ce vacarme: quand je conduirai une fusée, j'entendrai bien pire au décollage! J'ai laissé Stéphanie monter devant parce que c'est mon amie. Elle était décoiffée à cause du vent soufflé par les pales de l'hélice. Moi aussi. On a attaché nos ceintures, puis Jean-Marc a poussé des boutons, actionné des manettes et on s'est élevés. Très vite, la terre s'est éloignée: les arbres, les maisons du village, les rues, les champs et les automobiles rapetissaient à vue d'oeil. Ça ressemblait à une maquette d'architecte. On a reconnu le lac, la rivière des Cygnes — où je n'ai jamais vu un seul cygne! —, la montagne Noire et notre chalet. Puis la villa des Hirondelles avec la piscine et le terrain de tennis. On a survolé la région pendant une heure: Jean-Marc nous a montré des rochers très escarpés près des arbres où les rapaces construisent leurs nids.

— «Aire», c'est le nom de leur nid.

Il nous a expliqué comment les aigles bâtissent leurs aires avant d'y pondre des oeufs.

— Très peu d'oeufs, comparé aux canards. C'est pourquoi il faut les protéger; ce sont des oiseaux en voie de disparition!

Quand Jean-Marc se met à parler d'ornithologie, rien ne peut plus l'arrêter; c'est sa passion! À son bureau, après être descendues de l'hélicoptère, on a joué avec un mainate apprivoisé. Il imite plusieurs chants d'oiseaux et le rire de Jean-Marc. On ne sait jamais si c'est l'ami de papa ou Champlain qui rigole.

— Champlain! Drôle de nom pour un oiseau, a dit Stephy en caressant les plumes noires du mainate.

— Il appartenait à Jack-le-Trappeur. J'espère que Champlain s'amusera avec Barthélemy; je l'emmène à la villa.

Avant de quitter le village, nous avons acheté des graines pour Champlain et du champagne. Puis nous sommes allés chercher le gâteau au chocolat qu'avait

fait madame Plouffe, la femme du garde-chasse: c'est la meilleure pâtissière de toute la province!

Quand nous sommes arrivés à la villa des Hirondelles, nous avons entendu des aboiements. Jean-Marc avait oublié de nous dire que Barthélemy avait un chien; un gros berger allemand s'est élancé vers nous, mais il a cessé de japper dès que

Jean-Marc est sorti de l'auto. Il lui a léché les mains car il le connaissait bien.

Solange, Bart et Nathalie nous attendaient devant la maison. Bart avait les cheveux bouclés comme dans mon rêve et il portait des lunettes de soleil violettes. Dès qu'il a fait mine de s'avancer dans notre direction, le chien s'est approché de lui pour le prévenir des obstacles.

Jean-Marc a fait les présentations. Solange est très belle avec ses grands yeux verts et elle est également très gentille; elle nous a dit que nous pouvions venir chez elle aussi souvent que nous en avions envie. Nathalie était en train de lacer des bottines à crampons.

— C'est une mordue de l'alpinisme, nous a expliqué Jean-Marc. La plus célèbre grimpeuse de la région: les journaux ont même parlé d'elle!

Nathalie nous a souri en rougissant.

— Tu n'as pas peur de monter si haut? a demandé Stéphanie.

— Oh non! J'adore ça!

— Comment s'appelle ton chien, Bart?

— Max.

— Il a l'air gentil, a dit Stéphanie. Il est très beau. J'ai déjà eu un chien: Dagobert. Il mangeait des cornichons.

— Max, lui, aime les olives, a dit Bart.

— Comme ma chatte Mistigri! ai-je dit en montant la première marche du perron. Je ne savais pas si je devais indiquer ou non les marches à Barthélemy. Sa mère se taisait; elle savait que Max avertirait son fils.

En effet, le chien s'est arrêté pile devant le perron. Bart a tâtonné les marches avec sa canne, puis il les a gravies. Il est entré dans la maison, précédé de Max qui lui signifiait la présence d'une chaise, d'une table ou d'un fauteuil.

Pour fêter notre arrivée et notre rencontre avec Bart, Solange et Nathalie, papa a ouvert la bouteille de champagne. On a entendu un gros pof! quand il a fait sauter le bouchon. Max l'a retrouvé derrière les rideaux de la salle de séjour.

Exceptionnellement, on a eu droit à deux gouttes de champagne. Ça pétille comme du ginger ale mais c'est moins sucré; je ne suis pas sûre d'aimer ça mais je ne l'ai pas avoué à papa. Il aurait ri en disant: «Plus tard, quand tu seras grande, tu apprécieras...» Le bruit du bouchon a effrayé Champlain que Jean-Marc tenait à la main pour le présenter à Bart. Il s'est envolé par une fenêtre.

— Il est perdu! a dit Solange, désolée. Qu'est-ce qu'on...

— Ne t'inquiète pas, chérie, il va revenir. Il est trop gourmand, a dit Jean-Marc en mettant une poignée de cerises dans la main de Bart. Reste sur le pas de la porte en agitant un peu la main. Dès que Champlain va repérer les fruits, il va foncer comme un kamikaze!

Bart a hésité un peu, puis il a obéi aux directives de Jean-Marc. On l'a suivi. Max le devançait, comme toujours, mais j'ai eu peur quand même que Bart déboule les marches du perron.

— Eh! Le voilà! a crié Stéphanie. Dans l'érable!

Deux secondes plus tard, Champlain croquait une cerise. On s'est assis sur le bord de la galerie. Bart flattait le dos du mainate qui semblait apprécier autant les caresses que les cerises. Il n'a laissé que les noyaux.

Max le regardait avec étonnement et

quand Champlain s'est mis à rire en imitant Jean-Marc, il a gémi, nous interrogeant du regard: «Quelle est donc cette curieuse bestiole?» semblait-il nous dire. Champlain a ensuite gazouillé, puis grasseyé «bonjourrrrr» trois fois en sautant sur l'épaule de Barthélemy qui est rentré très fier pour le montrer à sa mère. Solange et lui se ressemblent beaucoup: mêmes cheveux, mêmes joues rondes, même front.

Nathalie, elle, a les cheveux roux et les yeux gris clair. Elle a des taches de rousseur et les dents les plus droites que j'ai jamais vues! La chanceuse! Moi, j'ai été obligée de porter des broches, l'an dernier.

Même si elle a dix-neuf ans, Nathalie a préféré parler avec nous plutôt que d'aller avec les adultes. On a discuté musique: Bart et sa cousine aiment aussi le groupe Emotion. Bart a eu le dernier microsillon en cadeau; il nous a promis de nous le faire écouter quand Jean-Marc et Solange seraient sortis.

— Ils ne supportent pas le rock!

Tous les parents se ressemblent!

On a mangé le gâteau au chocolat et Champlain a picoré les miettes dans toutes les assiettes. Nathalie regardait sa montre si souvent que j'ai fini par lui demander ce qu'elle attendait. Elle a rougi encore, puis elle a murmuré «Hans»...

Bart nous a expliqué que Hans était le copain de sa cousine Nathalie depuis un mois.

— Hans? C'est un nom étranger, a fait remarquer Stéphanie.

— Oui, Hans est allemand. Mais il vit au Québec depuis quatre mois.

— Comment l'as-tu rencontré? a demandé Stéphanie qui adore les histoires d'amour très romantiques.

— Grâce à l'alpinisme! Je revenais d'une expédition dans la montagne car je devais photographier, si j'en repérais, des nids de rapaces. Jean-Marc doit les étudier.

— Pourquoi?

— Les aigles et les faucons ont des comportements étranges depuis quelque temps. Peut-être qu'en voyant leurs nids on aura des éclaircissements; ils ont pu être détruits. Si oui, par qui? Par d'autres oiseaux, des cataclysmes naturels? Sinon, où vont nos rapaces? Ils désertent de plus en plus la région... Je suis revenue bredouille et pourtant j'étais montée très haut.

Alors que j'atteignais le pied de la montagne, j'ai entendu des cris de détresse. J'ai couru à travers les bois pour trouver un homme étendu qui geignait. C'était Hans. Il avait perdu connaissance.

Il était tombé face contre terre.

Après l'avoir examiné, je l'ai retourné, très lentement, pour qu'il respire. Il n'avait pas de plaie visible. J'ai attendu qu'il se réveille. Quand il a ouvert les yeux, c'étaient… les… les plus beaux yeux du monde.

— Tant que ça? a chuchoté Stéphanie, rêveuse.

— Tu vas comprendre quand tu le rencontreras…

— Et ensuite?

— Il s'est frotté la tête et m'a demandé ce qui s'était passé: «Qu'est-ce que je fais ici?», m'a dit Hans.

— Mais je ne sais pas. Je vous ai trouvé étendu, évanoui.

— Je ne me souviens plus… Ah si!… j'ai vu une ombre. Une ombre très haute… Puis j'ai reçu un coup. Là, à la nuque, a dit Hans en se massant le cou.

— Qui peut vous avoir frappé?

— Je ne sais pas… Où sommes-nous? Je me suis perdu dans la forêt. Nous sommes loin du village?

— Non, je vais vous ramener, si vous voulez. Êtes-vous capable de marcher?

Hans s'est levé avec difficulté puis il

s'est appuyé sur mon bras. J'ai senti ses cheveux sur ma joue quand je l'ai aidé à se redresser…

— Je m'appelle Hans Morf, m'a-t-il chuchoté.

— Moi, c'est Nathalie Rouleau. J'habite près du lac, à la villa des Hirondelles.

Hans demeurait au village. Il venait d'arriver et il resterait tout l'été dans la région.

— C'est bizarre qu'un homme qui vient d'Europe choisisse un coin perdu comme notre village pour s'installer tout l'été. Il y a des tas d'endroits à visiter au Québec…

— Ce n'est pas un hasard, Cat, m'a dit Nathalie. Hans s'intéresse aux champignons. Il est photographe et réalise une série de natures mortes pour un peintre qui travaille d'après des photos et qui doit dessiner des timbres représentant le Québec. Comme il y a beaucoup de champignons par ici, Hans est venu.

— Papa va sûrement l'aider! ai-je dit. Il adore cueillir les champignons!

— Vous vous voyez souvent, Hans et toi? a demandé Stéphanie.

— Oui, presque tous les jours. On a tellement de choses en commun... On s'est tout de suite compris. Il est beau, intelligent, fin...

Décidément, c'était la saison des amours: après Jean-Marc, Nathalie... Mais les nouvelles fréquentations de sa cousine ne semblaient pas plaire à Barthélemy. Évidemment, au lieu de rester avec lui, elle passait dorénavant son temps avec Hans.

J'avais hâte de le voir; Nathalie avait piqué ma curiosité. Était-il aussi beau qu'elle le disait? L'amour est aveugle: l'an dernier, Stéphanie affirmait que monsieur Pépin était le plus bel homme de l'univers. Il est pourtant assez ordinaire!

Mais Nathalie, elle, n'avait pas exagéré! Hans Morf avait des cheveux si pâles, si dorés qu'ils lui faisaient une auréole. Et ses yeux étaient bleus, très très clairs, comme ceux de Jim Battes, le chanteur d'Emotion. Il avait aussi la même démarche hypersouple. Il portait une veste de cuir noir. J'adore les vestes de cuir, mais mon père dit que je n'en aurai pas avant mes seize ans ou même plus tard! Je ne sais pas comment j'aurai la patience d'attendre tout ce temps!

Hans est venu vers nous, tendant ses bras ouverts à Nathalie qui s'est blottie contre lui. J'avoue que j'étais un peu envieuse; j'aimerais bien qu'un aussi beau gars s'intéresse à moi; ça clouerait le bec à Suzanne Morneau qui, à l'école, se vante sans arrêt de plaire à tous les hommes qu'elle rencontre. Je voudrais bien savoir qui elle voit, et quand, et où! C'est une menteuse! Stéphanie est d'accord avec moi. Elle aussi aurait bien

voulu attirer quelqu'un comme Hans. Et quand Nathalie est partie présenter Hans à papa, Stéphanie m'a chuchoté: «Tu ne trouves pas qu'il ressemble à Olivier Dubois?»

— Qui est Olivier Dubois? a demandé Bart qui semblait soulagé par le départ de Hans.

J'ai alors failli lui demander pourquoi il n'aimait pas Hans mais j'ai répondu à sa question: «Olivier Dubois, c'est le Prince Charmant de Stéphanie. Elle ne l'a vu qu'une fois et elle est persuadée qu'ils sont faits l'un pour l'autre... C'est pour lui qu'elle est venue ici avec moi.»

Même si Stéphanie me fusillait du regard car elle n'aime pas que je la taquine à propos d'Olivier, j'ai expliqué nos projets concernant les Grands Pieds à Barthélemy.

— C'est un peu compliqué, cette tactique de reportage, juste pour revoir un journaliste que tu ne connais même pas, a dit Bart avec un petit sourire.

— Tu as une meilleure idée, Barthélemy Rouleau? a grondé Stéphanie avec colère.

— Non, non, je vous aiderai si je le

peux. J'ai déjà entendu parler de ces Grands Pieds. Par Nathalie.

— Quoi? Nathalie?

— Qu'est-ce qui se passe? a dit celle-ci en revenant vers nous quand elle a entendu son nom.

— Bart nous a dit que tu connais les monstres, les Grands Pieds!

— Des monstres? Des Grands Pieds? Non, il ne faut pas exagérer; j'ai simplement rencontré, il y a trois semaines, des alpinistes qui croyaient avoir aperçu une bête étrange lors d'une expédition. Mais comme personne ne la décrivait de la même manière…

Ils avaient lu des légendes concernant les esprits de la forêt et ils se sont imaginé avoir vu un monstre. Pourtant, s'il y a un monstre dans notre forêt, ce serait plutôt le bandit qui a assommé Hans! Il a vraiment mis du temps à se remettre du coup qu'il avait reçu. Maintenant, il discute champignons avec ton père…

— Ça ne m'étonne pas, ai-je dit.

— C'est merveilleux! Jean-Marc aurait bien voulu aider Hans dans ses recherches, mais il ne peut pas quitter son travail facilement.

Jean-Marc est ingénieur forestier et il est aussi l'adjoint du maire. Le village est très calme l'hiver. Par contre l'été, il y a toujours des problèmes à régler avec les vacanciers: contrôler les permis de pêche pour aider monsieur Plouffe, prévenir les incendies de forêt, les accidents…

— Heureusement, il ne se passe jamais rien de très grave, a fait remarquer Nathalie. L'agression contre Hans était la première dans la région…

Chapitre III

La première, mais pas la dernière!

On ne pouvait pas se douter qu'au moment où on parlait d'agression, il se commettait un attentat dans la montagne. Ce n'est que le lendemain qu'on l'a appris.

On dormait quand un bruit de moteur d'automobile nous a réveillés à sept heures et demie. On a entendu des pneus crisser et un claquement de portières: Jean-Marc est entré en courant dans la cuisine.

— Emmanuel! Emmanuel! a-t-il crié.

— Quoi? a dit papa en enfilant son chandail turquoise. Qu'est-ce qui se passe si tôt?

— On a découvert Vincent, un jeune guide, assommé dans la montagne, pendant que nous fêtions tous ensemble... On ne lui a rien volé et il n'y avait plus de traces près de lui qui nous auraient permis d'identifier son agresseur... Un orage a tout effacé! C'est très grave: Vincent est dans le coma!

— Il va mourir?

— On ne sait pas, a dit Jean-Marc, bouleversé. On va le transporter à Montréal en hélicoptère. Je ne comprends pas ce qui lui est arrivé... La contrée a toujours été calme, sûre. Et il y a eu cette agression contre Hans. Maintenant, c'est au tour de Vincent. Je voulais vous avertir...

— Prends un café avec nous...

— Non merci, Cat, je n'ai pas le temps. Je dois prévenir tous les vacanciers et les campeurs.

— Je viendrai te voir cet après-midi au bureau, a dit papa en raccompagnant Jean-Marc à sa voiture.

En buvant son café, papa nous a défendu d'aller nous promener loin du chalet sans lui.

— Il y a un rôdeur et je ne veux pas que vous le rencontriez! C'est bien compris?

— Tu es sûr que c'est un rôdeur? Pourquoi pas un Grand Pied?

— Ah non! Voilà que tu recommences avec ça! Ça n'existe pas, Cat!

Nous avons accompagné papa au village quand il est allé aider Jean-Marc. Je préfère toujours faire les courses avec mon père car il achète trop de carottes et pas assez de biscuits aux brisures de chocolat.

Tout le monde parlait de l'accident du guide mais personne n'a mentionné les Grands Pieds, ignorant leur existence. Tant mieux, on ne les découvrirait pas avant nous! Stéphanie et moi avons joué avec la marmotte apprivoisée de monsieur Plouffe. La marmotte aime les biscuits au chocolat autant que moi: elle en a mangé six! Elle est toujours très douce et ses moustaches tombantes lui donnent un drôle d'air. Je voulais la ramener au chalet mais papa a refusé.

— On a déjà assez de problèmes durant l'année avec ta chatte Mistigri, tu ne m'ennuieras pas avec cette bestiole pendant l'été, Cat!

— Mais on rendra la marmotte au garde-chasse quand on rentrera en ville.

— Et elle? Tu crois que ça plaira à cette marmotte que tu l'abandonnes?

J'ai bien vu que ce n'était pas la peine d'insister. Monsieur Plouffe m'a dit de venir la voir aussi souvent que je le voudrais. J'ai dû m'en contenter. Tant pis, j'en aurai une à moi quand je vivrai dans mon appartement. J'aurai aussi un renard et un perroquet. Et des tortues. Et un jour, j'aurai peut-être une piscine avec un dauphin!

Je rêvais à ma future ménagerie quand Stephy m'a pincé le bras. «Eh? Tu as vu?»

— Quoi?

— Hans! Il parle avec ton père, de l'autre côté de la rue. Il est vraiment beau, a dit Stephy avec un petit soupir de regret. Tiens, ton père nous fait signe.

— Hans vient manger avec nous, a dit papa. Il est célibataire ce soir: Nathalie est en expédition.

— Je vous rejoins chez vous pour l'apéritif, a dit Hans. Je suis enchanté de votre invitation.

Nous aussi!

Hans ne portait pas sa veste de cuir quand il est arrivé au chalet mais un chandail vert qui faisait ressortir la couleur de ses yeux. Il nous a parlé avec son merveilleux accent de Baden-Baden, en Allemagne, où il est né. Il avait apporté son appareil-photo afin que nous ayons des souvenirs de cette soirée ensemble.

J'ai tenu à ce que papa nous photographie à côté de Hans: quand Suzanne Morneau nous verrait avec lui, elle en pâlirait de jalousie! Elle arrêterait de nous vanter ses exploits de séductrice à la manque! Papa et Hans ont décidé d'aller aux champignons le lendemain.

— On a annoncé de la pluie, a dit Hans. J'espère que les météorologistes ne se trompent pas, cette fois!

Ouf! Les prévisions étaient justes: la nuit a été orageuse et, au matin, papa emmenait Hans photographier des amanites et des morilles. Nous sommes parties avec eux mais après deux heures, nous en avions assez et nos paniers étaient remplis. Comme Hans voulait continuer à chercher avec papa, nous les avons quittés pour rentrer, en jurant de passer par le grand sentier, là où il y a plusieurs chalets.

— Rendons-nous tout de suite chez Bart, m'a suggéré Stéphanie.

— On lui donnera des champignons!

Nous avons marché longtemps car il fallait faire le tour du lac pour accéder à la villa sans piquer à travers les bois. Nous n'osions pas désobéir à papa à cause du rôdeur ou des Grands Pieds: notre idée était de les découvrir, mais de loin; il ne fallait pas qu'à l'inverse, eux nous découvrent. Je ne sais pas ce qu'on aurait fait si on s'était trouvées nez à nez avec les monstres!

Hans avait dit qu'il avait eu l'impression d'être suivi avant d'être assommé: «J'aurais dû me méfier, pourtant je n'ai pas prêté attention, croyant que c'était une perdrix ou un renard quand j'entendais des craquements. Je n'ai rien vu. Et puis, c'est normal d'entendre des bruissements en forêt! Maintenant, je ferai attention; je ne voudrais pas me faire assommer de nouveau!»

J'avais un peu peur en repensant à cette conversation mais je me répétais que le guide, comme Hans, avait été blessé, très loin du lac. On ne risquait rien près des habitations. On était cependant soulagées quand on est arrivées chez Bart. Solange et lui discutaient avec Nathalie qui était revenue plus tôt de son escalade. Et à toute vitesse! Car elle avait vu, au pied du versant nord de la montagne, des traces immenses.

— Elles ne correspondent à aucune piste d'animal connu! a affirmé Nathalie. Je connais bien la faune…

— Ce seraient donc celles des Grands Pieds? ai-je hasardé.

— Ça me paraît incroyable, a dit Solange. Quelqu'un s'amuse à vous mystifier. Cette personne sait que vous vous intéressez aux Grands Pieds: elle fabrique de fausses pistes et le tour est joué!

— Solange, je ne suis plus un bébé, a protesté Nathalie. Je te répète que j'ai vu de mes propres yeux des traces gigantesques. Et les buissons étaient foulés aux alentours.

— Il y avait plusieurs pistes?

— Hélas, non! trois seulement étaient bien nettes, les feuilles mortes empêchaient toute autre découverte.

— Je voudrais bien aller voir ces empreintes, ai-je dit.

— Je t'emmène quand tu veux, m'a dit Nathalie mais Solange s'est opposée.

— Je préférerais qu'on en parle avec

Jean-Marc avant. N'oubliez pas que Hans a été attaqué et que Vincent est toujours inconscient. Il n'est plus question de s'aventurer en forêt sans précaution.

— Mais ce n'est pas très loin, Solange, a affirmé Nathalie. Je voudrais que tu voies ces pistes, toi aussi, tu me croirais!

— Attendons le retour de Jean-Marc ou du père de Cat... Il doit venir vous retrouver ici, non?

— Si, avec Hans. Mais je ne sais pas quand...

On a attendu tous ces messieurs jusqu'à sept heures et demie! Le soleil disparaissait lentement en fondant sur le lac comme une glace à la framboise et aux fruits de la passion. J'adore les couchers de soleil mais ce soir-là, ça m'embêtait car je devinais que ni papa, ni Jean-Marc, ni Hans ne voudraient s'enfoncer à la nuit tombante. J'avais raison. Ils ont dit qu'ils iraient voir les fameuses pistes le lendemain.

Mais le lendemain, il n'y avait plus rien à voir: à quatre heures du matin, il pleuvait à boire debout, effaçant toute trace de pas! Il a plu toute la journée mais après une seconde nuit d'averses, de tonnerre et d'éclairs, le soleil s'est remis à briller.

Le sable de la grève a séché très vite. L'air sentait bon, un peu sucré comme s'il flottait une odeur de fraise. Autour du chalet, il y avait des faux mousserons à profusion: sautés au beurre avec une pointe d'ail, c'est superdélicieux! Ça m'a consolée un peu des pistes effacées.

Jean-Marc est venu manger avec nous; il avait apporté des grosses crevettes qu'on a fait griller avec des fines herbes.

— Alors? tu as des nouvelles du guide? a demandé papa.

— Oui: il a repris connaissance ce matin mais il a dit aux policiers qu'il n'a pas vu son agresseur. Ni entendu. Quant à sa blessure derrière la tête, le médecin ne peut pas nous dire avec quel objet on l'a faite. On ne sait rien de plus… C'est décourageant.

— Et si c'était un Grand Pied? ai-je murmuré.

— On n'en a jamais vu dans la région, a dit Jean-Marc, mais peut-être qu'il y en a maintenant. Si Nathalie ne s'est pas trompée, bien sûr…

La montagne Noire

— Peut-être que les Grands Pieds ont décidé de quitter les États-Unis, a ajouté Stéphanie.

Jean-Marc a haussé les épaules: «Comment le savoir?»

Papa regardait son ami avec étonnement, même après la découverte de Nathalie, il ne pensait pas que Jean-Marc croyait aux Grands Pieds. Il a fait une moue avant de nous dire qu'il ne pensait pas qu'on puisse rencontrer ces monstres au Québec.

— Mais qui a assommé le guide alors?

— Tu sautes trop vite aux conclusions, Cat; rien ne te permet d'affirmer qu'il s'agit de tes fameux singes!

— Ce n'est pas un rôdeur, papa: pourquoi aurait-il attaqué le guide et Hans sans raison? On ne leur a jamais rien volé!

— Le Grand Pied voulait peut-être les manger, a noté Stéphanie qui avait de moins en moins envie d'en rencontrer un.

— Non! Les Grands Pieds sont végétariens, ai-je dit pour la rassurer. Comme les gorilles. Le Grand Pied a attaqué parce qu'il avait peur d'eux.

— Grand Pied ou pas, je ne veux plus que vous alliez en montagne. À l'avenir, j'irai vous conduire chez Bart.

Nous étions justement invitées à aller nous baigner; même si le chlore me pique les yeux, l'eau de la piscine est plus chaude que celle du lac.

— Je suis heureuse que vous soyez ici cet été, a dit Solange alors que Bart venait vers nous en se dirigeant avec sa canne. Bart pense moins à son accident… Vous comprenez, il s'ennuie à devoir toujours se reposer…

— Oui! C'est vraiment trop bête d'être malade durant les vacances!

C'est bien uniquement durant l'année scolaire; quand je me suis foulé la jambe en ski, j'ai manqué deux jours, puis je suis allée à l'école en béquilles. Tout le monde s'occupait de moi, c'était agréable! Mais en juillet, ça ne m'aurait pas amusée.

On s'est baignés pendant une heure. Et on a bavardé au bord de la piscine en buvant un coke. Mon père dit que le coca-cola est mauvais pour la santé mais j'adore ça; j'en profite quand il est absent. Bart a juré de ne rien dire.

Évidemment, on a parlé des Grands Pieds et de la découverte récente de Nathalie. On aurait bien voulu trouver d'autres pistes mais il aurait fallu pénétrer dans la forêt... Comment faire pour découvrir les singes géants sans y aller?

— J'ai une idée! a dit Bart en claquant des doigts. On va se rendre à la tour et vous regarderez la montagne au télescope. Vous verrez peut-être les Grands Pieds s'ils vivent en montagne. À une certaine altitude, il n'y a presque plus d'arbres: on voit même très bien les nids d'aigles près des rochers.

Nous sommes allés à la limite du terrain et de la forêt, où se dresse la tour. On ne l'avait pas remarquée avant car elle est camouflée par des pins immenses. Le premier propriétaire de la villa l'avait fait construire car il aimait observer les astres. Comme moi!

— J'ai hâte de voir de nouveau, a soupiré Bart. J'adore les étoiles. Et les aurores boréales. C'est super! on dirait un énorme serpent de lumière qui se tortille dans le ciel en vert, jaune, rouge, bleu. Il y en avait souvent en Alaska.

— Tu as déjà été en Alaska!

Quelle chance! Bart avait vu des phoques et des pingouins. Et son télescope était plus gros que celui que papa m'avait acheté pour mon anniversaire. J'ai regardé dans la lorgnette la première, puis Stéphanie, puis moi; j'ai vu bouger quelque chose!

— Moi aussi! a dit Stéphanie en regardant à son tour.

— Dites-moi ce que vous voyez, a demandé Bart.

— C'est... c'est un homme. Mais on le voit de dos. Il grimpe avec des tas d'appareils en bandoulière.

— Pousse-toi, Stéphanie, c'est à moi de regarder maintenant, ai-je dit. Mais... c'est Hans! Hans Morf! Qu'est-ce qu'il fait là?

— Des photos, idiote, a dit Stéphanie avant de me bousculer pour le voir, elle aussi.

— Idiote, toi-même! Peux-tu me dire quels champignons il trouvera sur ces rochers? Les champignons ont besoin d'humidité pour pousser! Ces rochers sont secs, secs, secs... Il n'y a presque pas de végétation.

J'ai dit ça avec assurance, mais au

La montagne Noire

fond, je ne savais pas si j'avais raison. Stéphanie m'énervait; elle ne connaît rien aux champignons, pourtant il faut toujours qu'elle fasse comme si elle savait tout, pour épater les garçons!

Pendant qu'on se chicanait, Hans Morf disparaissait dans la montagne; il n'était plus dans notre champ de vision quand on a regardé de nouveau avec le télescope. Il s'était volatilisé en quelques secondes!

— C'est impossible! Il était là, entre deux gros rocs!

— Il doit être entré dans une caverne que vous ne pouvez pas voir, a dit Bart. Mais que fait-il en montagne? Il a grimpé assez haut, si vous parlez de rocs. Hans a toujours dit qu'il avait le vertige…

— Le vertige?

— Oui, je l'ai entendu en parler à ma cousine Nathalie qui lui demandait de l'accompagner en expédition.

— Mais elle l'a connu en faisant de l'alpinisme, non?

— Elle n'était plus en montagne, mais au pied: Hans n'avait rien escaladé. D'ailleurs, il n'avait ni pic, ni corde, ni chaussures à crampons, ni pitons...

— Étrange... On va le surveiller encore!

On l'a guetté pendant trente minutes, sans succès.

C'est comme s'il avait été englouti par la montagne! Cependant, j'ai aperçu des aigles ou des faucons qui venaient survoler les rochers: peut-être voulaient-ils chasser Hans Morf?

Chapitre IV

Papa était ravi d'apprendre que j'avais vu des rapaces; il m'en avait souvent parlé mais c'était la première fois que j'en observais. Ils étaient magnifiques avec leurs ailes immenses bordées de blanc, pourtant leur bec recourbé avait l'air inquiétant: très coupant, il devait déchirer une proie facilement. Les faucons ont sûrement un bec aussi acéré que celui des aigles et leur plumage est doré. Je les ai trouvés très beaux même si ça m'attriste de penser qu'ils tuent des petits lièvres. Papa m'a fait remarquer que j'adorais en manger, alors pourquoi pas eux? Ce n'est pas pareil! J'ai changé de sujet en parlant de Hans à papa.

— C'est bizarre qu'il ait le vertige et qu'il monte si haut! Il nous a menti!

— Oui, a dit Stéphanie, je suis certaine qu'il a eu la même idée que nous: faire un reportage sur les Grands Pieds...

Mais il veut un scoop. Alors il n'en parle à personne et il fait semblant d'être ici pour photographier des champignons.

— Oui, tu as raison, Stephy! On n'a jamais vu aucune photo de ses chanterelles!

Papa a fait la moue: «Vous avez beaucoup trop d'imagination; Hans s'intéressait vraiment aux champignons que je lui montrais!»

Je n'ai pas insisté; quand on lui parle de *ses* champignons, papa ne comprend rien. Il ne pouvait pas croire que ça ne passionnait pas réellement Hans Morf. On lui prouverait!

Comme convenu avec Bart en redescendant de la tour d'observation, nous sommes allées le chercher avec papa à la fin de l'après-midi, en traversant le lac en chaloupe. L'eau du lac était très claire mais toujours glaciale!

Solange et Jean-Marc semblaient contents de passer une soirée seuls, en amoureux. Pour la première sortie de Bart depuis son arrivée à la villa des Hirondelles, Solange paraissait aussi excitée que lui; elle faisait des tas de recommandations à papa.

— Mais tout va bien se passer, Solange, ne t'inquiète pas!

Dès qu'on s'est un peu éloignés de la rive, papa a suggéré à Bart de pêcher. Bart a eu l'air surpris, cependant il a accepté. Papa lui a mis une canne à pêche entre les mains. Bart a lancé la ligne; on a entendu un sifflement de corde de nylon, puis le floc de l'hameçon dans l'eau.

— Je n'ai rien accroché? a demandé Bart.

— Non, c'est parfait, mon garçon, a dit papa, ravi. Il y avait enfin quelqu'un qui partageait son intérêt pour la pêche. Comme je voulais ramer, il me l'a interdit: «Mais attention, Cat! Tu vas faire fuir le poisson! Ne parle pas si fort!»

Après trente minutes d'attente, Stephy et moi, on en avait marre! Mais papa et Bart ne semblaient pas s'apercevoir du temps qui s'écoulait...

— J'ai faim, a chuchoté Stéphanie.

— Moi aussi, ai-je dit. Il reste du poulet et des crevettes, au chalet.

— Non, on va manger des truites! a dit papa. Chut! Vous n'entendez rien? Il y a eu un léger clapotis... Bart! Ta ligne! Ta ligne!

— Oui, je la sens! Ça mord! Ça mord! C'est une grosse, j'en suis sûr!

— Donne-lui de la ligne, oui, comme ça... Et tire un peu, il faut l'épuiser. Un petit coup sec, pour bien la ferrer... voilà, c'est parfait!

— Elle résiste! La ligne va casser!

— Non, tu vas l'avoir, a promis papa.

On a vu la truite sauter hors de l'eau,

se tortiller au bout de la ligne mais elle était bien accrochée et n'a pas réussi à fuir. Ça m'écoeurait un peu; j'aime bien manger les truites mais je n'aime pas les voir saigner avec leurs têtes gluantes et leurs yeux vitreux.

C'est toujours papa qui coupe les têtes des poissons et les vide. Je préfère râper un sac de carottes! En tout cas, ça ne répugnait pas Bart; il a pris sa truite à pleines mains quand papa l'a décrochée. Il répétait sans cesse qu'il était supercontent.

— Tu es un sacré pêcheur, a dit papa. Je suis jaloux!

Bart a rougi de fierté; je ne regrettais pas qu'on ait attendu si longtemps. C'était une pêche miraculeuse car papa a attrapé une truite cinq secondes plus tard, Bart une deuxième et enfin une troisième. Il était fou de joie! Nous sommes finalement arrivés au chalet et papa a vidé, lavé et grillé les truites.

— C'est le meilleur repas de toute ma vie! a dit Bart. J'espère qu'on retournera pêcher.

— Promis! a juré papa, avant d'aller reconduire Bart à la villa, en automobile.

Pendant ce temps, Stéphanie et moi, on a fait la vaisselle. Je déteste ça! J'ai suggéré à papa d'acheter de la vaisselle en carton, jetable. Il n'a pas voulu.

On finissait de ranger les assiettes quand on a entendu un craquement à l'extérieur. Je me suis précipitée à la porte d'entrée pour la verrouiller. Puis on a entendu un bruit de ferraille. Même si on avait peur, on a regardé par la fenêtre. Une ombre a bougé!

— Hep? Y'a quelqu'un?

J'ai tout de suite reconnu l'accent de Hans! Nous lui avons ouvert.

— C'est stupide de nous faire peur! On croyait que c'était un Grand Pied ou le rôdeur!

— Un Grand Pied?

Hans Morf faisait semblant d'être étonné qu'on parle des monstres; mais nous, on savait maintenant pourquoi il traînait dans la région!

— Hans, ai-je dit, arrête de nous jouer la comédie! Tu sais mieux que nous que Nathalie a vu des pistes étranges. Avoue que tu es ici pour les Grands Pieds?

Hans a essayé de nier! «Mais non... Je travaille pour un peintre, je vous l'ai déjà

dit. Je cherche des champignons.»

— Et tu en as trouvé beaucoup dans les rochers? a demandé Stéphanie.

— Les rochers? Quels rochers?

— Dans la montagne Noire: on t'a vu grimper aujourd'hui.

— Vous vous trompez!

— Non, on voit très bien avec le télescope de Bart...

Hans s'est passé lentement la main dans les cheveux; nos conclusions le tracassaient! Après un long silence, il s'est décidé à tout avouer.

— Vous avez gagné... J'étais bien dans la montagne cet après-midi. Et je ne suis pas ici pour photographier des champignons. J'ai inventé ça pour travailler en paix.

Pour avoir le scoop!

— Oui, vous avez deviné. Je veux être le premier à découvrir les Grands Pieds. J'ai voyagé partout pour les trouver.

— Tu es allé aux États-Unis?

— Oui, mais je n'en ai pas vu. On m'a dit que les Grands Pieds cherchaient plutôt les régions froides.

— Ah bon? me suis-je étonnée. Ce n'est pas ce que j'ai lu sur eux.

— Lu! Lu! Et alors? a dit Hans, subitement impatient. Si tu crois tout ce que tu lis!

— Non, mais...

— Il n'y a pas de mais: je connais les Grands Pieds mieux que vous!

Pourquoi Hans était-il si nerveux? Il avait la même façon de gesticuler que notre prof de maths quand nous l'exaspérons le vendredi, au dernier cours. Mais notre prof n'a jamais l'air inquiet, seulement excité. Les yeux de Hans brillaient d'une lueur étrange comme si les pupilles se dilataient. Il était vraiment furieux de notre découverte.

— Hans, ne t'inquiète pas, ai-je dit pour le calmer. On ne révélera à personne que tu veux un scoop sur les Grands Pieds. Si tu nous jures qu'on sera les premières à voir les photos. Nous aussi, on les cherche, les Grands Pieds!

Hans s'est radouci: «C'est trop dangereux pour des gamines, cette chasse aux monstres! Mais dès que je les trouverai, je vous avertirai! Vous êtes gentilles de comprendre la situation: il faut de la discrétion...»

— Comment as-tu réussi à maîtriser tes vertiges, a demandé Stéphanie. Moi aussi, j'ai peur du vide et je voudrais sa...

— Qu'est-ce que cette histoire de vertige? l'a interrompue Hans. Je n'ai peur de rien...

Ben flûte! Hans Morf jouait les valeureux héros! Ça m'a agacée et je lui ai dit que Bart nous avait raconté qu'il avait des vertiges.

— Il a dû mal entendre et il a répété

n'importe quoi!

— Eh! Bart n'est pas un menteur!

— Ce n'est pas ce que je voulais dire, je le trouve très chouette, Bart. Je suis très copain avec lui, a menti Hans.

Bizarre, cette déclaration d'amitié... Hans insistait: «On s'amuse bien ensemble mais il ne m'a jamais montré son télescope. Où est-il?»

— Dans la tour, a répondu Stephy. On a très bien vu les rochers où tu as grimpé. Les Grands Pieds vont si haut? Il y a pourtant peu de plantes; que peuvent-ils manger?

— Manger?... Je... Ah! Arrêtez avec toutes vos questions! Je n'en sais rien pour le moment; si je veux découvrir les Grands Pieds, c'est pour les connaître, a presque crié Hans.

Décidément, il était nerveux! Papa est arrivé à ce moment: j'ai sursauté quand il a poussé la porte; on avait tant parlé des Grands Pieds que j'ai cru qu'il y en avait un qui entrait chez nous!

— Ouf! Papa, c'est toi!

— Qui veux-tu que ce soit? Tiens, vous êtes ici, Hans? De quoi parliez-vous? La discussion semblait bien animée.

— J'allais partir, a dit Hans aussitôt, en se levant.

— Oui, je comprends, Nathalie vous attend... a répondu papa en faisant un clin d'oeil avant de le conduire à l'extérieur.

Chapitre V

À son retour, papa a soupiré longuement en apprenant que nous avions parlé des Grands Pieds avec Hans. On ne lui a pas dit toutefois que Hans aussi les recherchait car on avait promis de se taire. Je ne sais pas si je pourrais être espionne. C'est difficile de garder un secret. J'y arrive quand même: je n'ai jamais parlé des amours de Stephy pour monsieur Pépin. Suzanne Morneau aurait ri d'elle à l'école.

— J'ai promis à Solange qu'on irait la reconduire à l'aéroport demain, a dit papa. Jean-Marc ne peut pas l'accompagner car il préside une réunion de comité de citoyens.

— À l'aéroport?

— Oui, Solange va à Montréal témoigner dans le procès d'une usine de produits chimiques. C'est Solange qui est le porte-parole des pêcheurs.

— Des pêcheurs?

— Oui, a expliqué papa, les pêcheurs sont sans travail; les poissons sont tous morts par la pollution. Ça prendra du temps avant que les rivières soient réalimentées. La plupart des oiseaux marins ont péri aussi. Solange s'y connaît bien en ornithologie. Elle se bat pour qu'on modifie la loi en ce qui concerne la protection des oiseaux. Les amendes sont trop légères pour les industriels ou les braconniers! Il faudrait faire signer des pétitions, ameuter la presse…

— Chouette! ai-je dit. On pourra faire signer nos profs!

— Et nos amis! a ajouté Stéphanie.

— Non… Vous n'êtes pas majeures, mes belles!

— Mais on aime les oiseaux, papa! C'est stupide, la loi!

— Parfois, a reconnu mon père.

J'ai mis longtemps à m'endormir car j'entendais un hibou hululer; peut-être qu'il avait peur d'être exterminé par des chasseurs. Papa, Jean-Marc et Solange avaient raison: il fallait défendre ces pauvres oiseaux!

L'avion de Solange décollait à dix

heures et demie. On s'est habillés si vite que j'ai mis mon tee-shirt à l'envers.

Solange et Bart nous attendaient sur le perron de la villa. Champlain nous a salués d'un affreux croassement et Max a remué la queue car il nous reconnaissait. Il a tiré sur mon chandail rouge pour jouer.

— Suffit Max, a dit Solange.

— Oh! Il peut s'amuser, c'est un vieux chandail. J'aimerais bien avoir un berger allemand, moi aussi.

Papa m'a répété que Mistigri suffisait amplement. Il ne veut même pas entendre parler d'un aquarium. Papa a pris le sac de voyage de Solange et l'a mis dans le coffre de l'auto pendant qu'elle embrassait Barthélemy.

— Tu ne viens pas avec nous à l'aéroport? a dit Stéphanie.

— Non, je n'aime pas les aéroports.

— Alors, on te retrouve tout à l'heure; il fait chaud aujourd'hui, on va se baigner!

— Tut! Tut! Tut! a fait papa. Vous ne vous baignerez que si Nathalie est là. D'ailleurs, où est-elle?

— Elle dort encore. Elle est rentrée

très tard hier soir. Je suppose qu'elle s'est bien amusée avec Hans, a dit Solange. Mais elle surveillera les enfants à la piscine. Tu rejoins Jean-Marc après sa réunion? Il m'a dit qu'il t'attendrait.

— Oui, oui, a dit papa. Je ramène Catherine et Stéphanie ici, puis je file au village. On doit aller chercher une bibliothèque. Je vous reprendrai en fin d'après-midi, Cat. Si Nathalie et Hans veulent venir souper à la maison avec nous ce soir, ils sont les bienvenus. Mais pour l'instant, dépêchons-nous, sinon Solange va rater l'avion!

— C'est vraiment gentil de venir me conduire, a dit Solange à papa en souriant. Elle a une bouche en coeur, très rose, comme une star. Mes lèvres à moi sont minces et je voudrais mettre du crayon rouge mais papa prétend que je suis encore trop jeune. Je suis toujours trop jeune pour tout!

Solange n'a eu que le temps de s'enregistrer; on n'a même pas bu un café avec elle au restaurant de l'aéroport. Dommage, j'adore traîner dans les aéroports, voir les avions décoller, les entendre. J'adore aussi le va-et-vient des passagers. Si je ne suis pas astronaute, je serai pilote d'avion. Je ne pourrais pas être hôtesse de l'air car je ne suis pas assez patiente avec les gens. Papa m'appelle parfois «son petit hérisson»...

Après avoir quitté l'aéroport, papa m'a acheté des sandales car celles de l'année dernière sont usées; j'ai cassé deux lanières. J'ai choisi une paire de bleues: une tige passe entre le gros orteil et les quatre autres mais on ne la voit pas car il y a la tête d'un serpent par-dessus. On dirait que son corps en cuir s'enroule autour de mes chevilles; c'est très joli! Parce que c'est un faux! Je n'aime pas tellement les reptiles, sauf les couleuvres qui ne sont pas venimeuses. L'été dernier, j'en ai attrapé une rose et beige. Mais je l'ai relâchée car Mistigri l'aurait mangée si je l'avais rapportée à Montréal.

Papa nous a laissées au croisement de la route de terre qui mène chez Bart, puis il a fait demi-tour en nous disant qu'il viendrait nous chercher à cinq heures. J'ai enlevé mes sandales neuves car je ne voulais pas les abîmer dans le sable et j'ai mis mes vieilles espadrilles pour me rendre à la villa.

On a sonné à la porte.

Et personne n'a ouvert…

On a resonné: toujours rien. Bart et Nathalie devaient être derrière la villa. On a fait le tour de la maison mais il n'y avait personne dans la cour non plus. Nous sommes entrées par la porte de la cuisine. Personne: ni dans le salon, ni dans les chambres, ni dans la salle de bains, ni dans la cave. Où était Bart? Et Nathalie?

— C'est bizarre, a dit Stéphanie d'une petite voix.

J'avoue que je n'étais pas très rassurée… On a refait le tour de la villa. Elle était vraiment déserte.

— Ce n'est pas normal, Cat! Il faut avertir ton père!

— Ça ne sert à rien pour l'instant: il est parti au village voisin avec Jean-Marc pour aller chercher la bibliothèque; ils ne seront pas de retour avant deux heures.

— Max aussi est absent; peut-être qu'ils sont tous allés se promener en forêt?

— Pourquoi? Bart ne voit pas, et puis

il savait que nous devions revenir! Où est-il?

Nous allions rentrer dans la villa quand Stephy s'est écriée: «Regarde, Cat! Un message!»

À côté du perron, Bart avait écrit dans le sable avec sa canne: *S.O.S. BART*.

Et il avait laissé traîner sa canne sur le sol pour nous indiquer dans quelle direction il était parti. D'autres traces de pas rejoignaient bientôt les siennes. Elles s'enfonçaient dans la forêt...

— Il faut appeler la police! a déclaré Stephy. Elle est entrée et aussitôt je l'ai entendue crier.

— Cat! Cat! Le téléphone est brisé!

On a suivi le fil: il avait été arraché comme la fois où le Caméléon était venu chez nous*! Mon coeur s'est mis à battre si fort que j'avais l'impression qu'il allait éclater. Stéphanie était blanche comme un drap; pourtant elle avait été au soleil tout l'été!

— Viens! On va arrêter une auto. Il faut avoir de l'aide et trouver Bart très vite.

On courait vers la route quand des aboiements ont retenti.

— Max! Mon beau Max! Dis-nous où est Bart!

Max jappait avec fureur mais il s'est arrêté dès qu'on a dit Bart. Un mouchoir était accroché à son collier.

* Voir *Le caméléon*, chez le même éditeur.

— Je le reconnais, c'est à Bart, il s'essuie souvent les yeux avec.

— Qu'est-ce qu'on fait?

— Il faut qu'un automobiliste aille prévenir la police et papa. Nous, on repart avec Max; il va nous mener à Bart!

— Mais comment ton père ou les policiers vont-ils nous retrouver? Et il y a les traces de trois personnes: Bart, Nathalie et qui? C'est sûrement le rôdeur! S'il nous capture aussi?

— On va faire attention et on a Max avec nous: il peut attaquer!

— Et il reviendra ensuite chercher ton père? Tu rêves!

— Non, Stephy, j'ai une idée...

On a écrit une lettre pour expliquer aux policiers ce qui se passait: on allait la donner à la première voiture qui s'arrêterait. Puis j'ai découpé mon vieux chandail en lanières. Ça ne me dérangeait pas parce qu'il était un peu déteint. On a mis tous les petits bouts rouges dans un sac et on a couru jusqu'au chemin pour attendre une automobile.

On commençait à s'impatienter quand un monsieur s'est arrêté. On lui a remis le message; il n'avait pas l'air de nous croire; il pensait qu'on faisait une course au trésor! Comme si on avait l'air de s'amuser! Il a enfin compris quand on lui a dit qu'on avait un ami perdu en forêt, et qu'il était en danger! Il nous a promis de faire vite. Il nous a fait jurer d'attendre sagement l'arrivée des policiers et de ne pas aller nous perdre dans la forêt. On a dit oui, oui, monsieur, mais on n'a pas attendu! Car on ne pouvait pas s'égarer: technique Petit-Poucet!

À chaque vingt pas, on attachait une lanière rouge autour d'un arbre: comme ça, on pourrait revenir sans problème. Si papa arrivait vite, il suivrait facilement notre trace: j'avais attaché un bout de chandail au message en lui expliquant notre méthode. Il fallait freiner Max qui nous entraînait; il humait le sol, l'air, le mouchoir de Bart et il repartait en fouinant dans les feuilles et en agitant la queue.

On l'a suivi pendant trente minutes puis il s'est mis à gronder sourdement; juste assez fort pour nous faire comprendre que Bart était tout près mais qu'on devait être prudentes… On a reconnu la bicoque du vieux Jack, le fameux

trappeur! Il était mort et on n'avait pas détruit sa cabane. Qu'y faisait Bart?

— On attend ton père? a demandé Stephy, inquiète.

— Oui, mais je voudrais faire comprendre à Bart qu'on a eu son message, pour le rassurer.

— Si on attachait une lanière rouge au collier de Max? Il irait trouver Bart qui devinerait qui l'a liée au collier.

— Et le rôdeur? S'il le découvre?

— Tu as une autre idée?

— Non... O.K. Ne bouge pas, Max, on te donne un message.

J'ai noué un minuscule bout de chandail au collier et Max s'est élancé vers la vieille bicoque. Il s'est mis à aboyer; la porte s'est ouverte et Hans est sorti!!!

Hans! Avec un fusil qu'il pointait sur Max. Il a fait feu mais il n'a pas touché le chien qui s'est rué sur lui. Bart a crié. Nous aussi. J'ai pris un gros bâton, comme Stephy, et on est venues aider Max qui avait roulé par terre avec Hans. Ils se battaient férocement mais on n'osait pas donner de coup sur la tête de Hans de peur d'accrocher Max. Je n'avais jamais entendu un chien gronder aussi fort. Hans a fini par lâcher son arme et Stéphanie l'a ramassée.

— J'ai son pistolet! a-t-elle criée.

— Arrêtez ce chien, a dit Hans. Arrêtez-le!

Max essayait de le mordre à la gorge et lui avait griffé les bras jusqu'au sang.

Bart a ordonné: «Couché, Max. Couché.» Et Max a abandonné Hans aussitôt. Mais il continuait à grogner sans le quitter des yeux, prêt à le mordre.

On est entrées dans le chalet; Bart avançait vers nous avec précaution car Hans lui avait lié les mains. Il ne pouvait tâter les murs pour se diriger. On l'a détaché en vitesse pendant qu'il nous expliquait que sa cousine était derrière le chalet, inconsciente.

— Quoi? Nathalie?

— Vite, allez voir!

— Et Hans?

Max va le dévorer s'il fait le plus petit geste pour s'enfuir!

— Mais pourquoi Max ne l'a-t-il pas attaqué avant?

— Allez chercher Nathalie, je vais tout vous expliquer, a dit Bart, mais on a mal compris la fin de sa phrase car un bruit de moteur très puissant a tout couvert. Un hélicoptère! J'ai tiré en l'air tout ce qui me restait de lanières rouges pour signaler notre présence. L'hélicoptère s'est posé quelques minutes plus tard et papa en est descendu pour courir vers nous. Jean-Marc l'accompagnait avec un policier qui a passé les menottes à Hans. Jean-Marc a réussi à ranimer Nathalie pendant que Bart nous apprenait que Hans Morf se livrait au trafic d'oeufs de faucon.

— Des oeufs? s'est étonnée Stéphanie. Pourquoi?

— Ça vaut très cher, a dit papa. Il y a des gens qui paieraient 100 000 dollars pour des oeufs de faucon! En Arabie, les rapaces symbolisent la force, la puissance. Les riches veulent en posséder et paient des bandits pour s'emparer des oeufs… Je commence à comprendre pourquoi on voyait moins de faucons dans la région…

— Bart, pourquoi Max n'a pas attaqué Hans avant?

— Parce que Hans l'aurait abattu; j'ai ordonné à Max de rester tranquille mais il s'est échappé. Vous veniez de partir, ce matin, quand Hans est arrivé à la maison. Il voulait que Nathalie l'accompagne à la montagne. Comme elle refusait de sortir avec lui, disant qu'elle ne voulait pas me laisser seul, il a changé de ton.

— Tu vas faire ce que je te dis, Nat, a crié Hans méchamment, si tu ne veux pas de problèmes!

— Mais Hans, qu'est-ce qui t'arrive, a dit Nat... Je ne peux pas laisser Bart!

— Il va venir avec nous! Il en sait déjà trop! Ses petites copines aussi. Mais avant qu'elles me retrouvent, je serai déjà loin. Et je vous avertis: si le chien fait une bêtise, je n'hésiterai pas à l'abattre!

— Espèce de monstre!

— Monstre ou pas, vous allez me suivre! On va laisser notre petit aveugle au chalet du vieux Jack puis on ira chercher les oeufs de faucon... C'est maintenant le moment de me montrer tes talents d'alpiniste, ma chère, a dit Hans à Nathalie.

— C'est pour ça que tu...

— Que je sortais avec toi? Oui, tu as bien deviné. Tu ne m'as pas découvert assommé par hasard. J'ai simulé une agression pour faire ta connaissance. Au début, je voulais faire croire à un rôdeur, mais quand les gamins se sont mis à parler des Grands Pieds, j'ai pensé que c'était une bonne idée de fabriquer des fausses pistes pour orienter les recherches dans d'autres directions. Ces enfants sont de vilains fouineurs...

— Des fausses pistes?

— Oui, a dit Hans en se moquant. Vous y avez cru, comme des imbéciles…

— Et le guide? C'est toi qui l'as battu?

— Oui, il allait entrer dans la cabane du vieux Jack où je range les boîtes spéciales pour le transport des oeufs… S'il devinait ce qui se passait, j'étais cuit! Et maintenant, on se dépêche! Tu sauras bien, ma chère Nat, grimper aux arbres pour atteindre les nids et me dénicher les oeufs. N'es-tu pas championne?

— Nous avons dû lui obéir, de continuer Bart. Mais Nathalie a gagné du temps en allant mettre ses bottes de montagne et prendre son pic. Pendant que Hans arrachait les fils du téléphone, je suis sorti. Il ne se méfiait pas de moi: où pouvais-je aller sans rien voir? J'ai écrit le message dans le sable juste avant qu'il ressorte de la maison avec Nathalie. On a marché jusqu'au chalet de Jack. Hans m'a attaché et il a forcé Nathalie à le suivre pour s'emparer des oeufs. Quand ils sont revenus, Nathalie a essayé de s'échapper, il l'a assommée. Pendant qu'il rangeait ses précieux oeufs dans les caisses pour le transport, Max a filé sans qu'il ait le temps de lui tirer dessus! Et vous êtes enfin arrivées!

— Grâce à Max!

— Il est fantastique, mon chien! Et vous aussi!

— Toi aussi, Bart, a dit papa. Tu es très courageux!

— Dis, Jean-Marc, a demandé Nathalie, tu n'as jamais cru réellement aux pistes des Grands Pieds?

— Oui et non; je pensais que c'était un rôdeur qui voulait détourner les soupçons par ces fausses empreintes, je n'aurais pas pu imaginer que ça pouvait être Hans... Vous avez été fantastiques, les enfants! Vous n'avez pas découvert les Grands Pieds, mais révéler ce trafic, c'est encore mieux! Et ce sera vous les vedettes des journaux, pas ces fameux singes!

— Les journaux?... Ah oui? Tu crois qu'on va nous interviewer? a demandé Stéphanie qui se remettait à rêver à son Olivier-journaliste...

— Et les oeufs? a dit Bart. On les rend aux parents faucons?

— Non, ils sont imprégnés d'odeur

humaine maintenant. Les parents pourraient les rejeter. Nous allons les porter dans un collège spécial qui détient un permis de garde de rapaces. Là, quand les oiseaux sont assez âgés pour se débrouiller, on les lâche dans la nature pour assurer la survie de l'espèce. En attendant, vous ne commencez pas à avoir faim? Les émotions m'ont creusé l'appétit!

— Et si on allait pêcher? a dit Bart. On pourrait manger des truites!

Ah non! Pitié!

Le Corbeau

Chapitre I
Stéphanie est amoureuse

J'avais hâte de partir pour l'école, mercredi. Pour la rentrée des classes, papa m'a acheté un sac rose fluo avec des bandes argent hyper brillantes.

J'aime bien la première journée d'école, on revoit les amis et on se raconte nos vacances. Tout le monde rit et tout le monde crie; ça ressemble un peu aux jours qui précèdent les congés de Noël. Sauf que les profs sont moins sévères parce qu'il n'y a pas d'examen.

Stéphanie, elle, a eu un sac avec du doré. Super! Car Stephy et moi, on fait souvent des échanges: c'est normal, c'est ma meilleure amie.

Nous nous connaissons depuis que nous sommes petites et on se dit tout. L'an dernier, elle m'a même raconté qu'elle était amoureuse de M. Pépin, notre prof d'histoire! Stéphanie est souvent amoureuse. C'est peut-être parce qu'elle lit des romans d'amour.

Moi, je lis souvent des livres sur les étoiles, car je veux devenir astronaute. Cet été, Stéphanie a décidé qu'elle serait comédienne. C'est une excellente idée! Elle aura des amis acteurs et des billets pour les spectacles. On rencontrera sûrement des vedettes!

À l'école, il n'y avait pas de star évidemment, mais quatre nouveaux: trois garçons et une fille. J'allais m'approcher d'eux quand Stéphanie est arrivée.

— Viens! J'ai quelque chose d'extraordinaire à te dire!

— Ah! Te voilà! Ça fait une demiheure que je t'attends! Avoir su, je serais venue plus tard!

Au téléphone, la veille, on avait décidé de se retrouver très tôt à l'école pour avoir le temps de bavarder.

— Je sais, excuse-moi, mais j'ai raté l'autobus. Quelle chance! Félix Tremblay était assis dans le suivant: il m'a parlé! À moi!

— Félix Tremblay?

— Ouiiiii! Le beau Félix! Il est encore mieux que l'an dernier! Avec ses grands yeux clairs... Il est tellement fin! J'espère qu'on va être dans la même classe!

— Moi aussi!

— Je parlais de…

Stéphanie s'est interrompue, mais c'était trop tard, elle avait gaffé.

— Ah! Tu parlais du bel Adonis!

— Pas Adonis, Félix!

— C'est une expression… Va le rejoindre, puisqu'il t'intéresse tant que ça!

Je lui ai tourné le dos: c'est vrai à la fin, quand Stéphanie tombe en amour, elle m'oublie aussitôt. Je commence à en avoir assez! La prochaine fois que j'ai un chum, je vais l'imiter, elle verra comme c'est agréable de servir de bouche-trou. De toute manière, mon sac rose est plus beau que le sien!

Je me suis dirigée vers le fond de la cour pour montrer mon sac à Amélie Saint-Arnaud. Je déteste Amélie Saint-Arnaud qui a des millions de chandails, mais elle parlait avec Nathalie Rioux, Émile Turcotte, Capucine Roy et surtout Alexis Dugas. Il est super… super! Quand je suis arrivée près d'eux, Amélie a arraché un papier blanc des mains d'Alexis.

— Donne, c'est moi qui l'ai trouvée!

Je la garde!

— Garder quoi? ai-je demandé.

— Une lettre anonyme.

— Une lettre anonyme?

— Montre-lui, a dit Émile. Et il a attrapé la lettre pour me la donner.

Comme toute lettre anonyme qui se respecte, elle était écrite avec des

coupures de journaux. L'auteur avait ensuite collé les lettres choisies sur une feuille blanche. L'ensemble était tout croche. Et bourré de fautes d'orthographe. Je les ai vues immédiatement même si je ne suis pas un génie en français. On comprenait cependant le message.

> *Le directeur es un soulon. Il a de la vodequa dans son buro et il en boit tout lé jours.*
>
> Signé: *Un ami qui vou veux du bien,*
>
> *Le Corbau*

— Qu'est-ce que tu en penses, Cat? m'a demandé Capucine.

Je n'ai pas pu répondre, Amélie me reprenait la lettre. Alexis a voulu la relire, mais Amélie la tenait bien serré. Ils se sont battus pour l'avoir. Capucine s'en est mêlée. Ce qui devait arriver est arrivé: M. Boudreault s'est approché de nous en courant.

— Qu'est-ce qui se passe ici?

— Rien.

— Vos riens, je n'y crois pas! Amélie, toi qui es la plus sage, dis-moi la vérité!

Une flatterie et Amélie fait ce qu'on veut! Elle a tendu la lettre au professeur de géographie. Il s'est mordu la lèvre, a glissé la lettre dans sa poche et nous a recommandé de ne pas en parler.

Il ne connaît pas Amélie! C'est la plus grande mémère de l'univers! Comme Stéphanie venait vers moi en s'excusant de sa maladresse, Amélie s'est empressée de lui répéter le contenu de la lettre anonyme. Ensuite, elle nous a plantées là pour le raconter à d'autres. En disant à tout le monde que c'était un secret!

— C'est vrai ce qu'elle a dit?

— Oui. C'est bien ce que j'ai lu.

— Des stupidités! Un élève qui a voulu animer la première journée. Ce que j'ai à te dire est mille fois plus important! Cat, j'ai besoin de ton aide! Je suis certaine que je plais à Félix. Tantôt, il me regardait sans arrêt! Il m'a demandé si je faisais du patin. J'ai répondu oui.

J'étais certaine que Stephy allait me reparler de Félix. On aurait pu faire sauter l'école, elle s'en serait moqué: tout ce qui comptait, c'était son histoire d'amour! En temps normal, elle se serait intéressée à la lettre anonyme. J'ai quand même tenté de raisonner mon amie.

— Voyons, Stephy! Tu n'as jamais mis les pieds sur une patinoire!

— Je sais; je t'en supplie, il faut que tu m'apprennes à patiner avant l'hiver! Tu es si bonne, toi! Tu as même gagné une médaille! En échange, je vais te prêter mes barrettes avec des étoiles.

Ses super barrettes! Elle les a reçues pour son anniversaire, et mon père a voulu m'en acheter des pareilles pour le mien, mais il n'en restait plus au magasin.

— Marché conclu! Tiens, voilà ton Félix…

— Oh! Est-ce que ma mèche est correcte?

— Oui, oui… mais…

Mais Félix ne se dirigeait pas vers nous, il discutait avec la nouvelle!

— Pourquoi va-t-il lui parler!? Il ne la connaît même pas! a dit Stéphanie.

— C'est peut-être elle qui lui a posé une question, ou il veut peut-être lui parler de la lettre anonyme. C'est la première fois que j'en vois une! Le directeur va être furieux quand il va la lire!

— Je me fous du directeur et des lettres anonymes! explosa Stéphanie.

Félix parle à cette fille parce qu'elle est plus belle que moi! Je n'aurais jamais dû toucher à mes cheveux!

— Tu les as à peine raccourcis!

Stéphanie porte ses cheveux aux épaules, si elle ne m'avait pas dit au téléphone que sa mère avait coupé les bouts la veille, je ne l'aurais pas remarqué.

— Regarde la nouvelle, ses cheveux sont bien plus longs que les miens!

— À peine! Félix est simplement

gentil parce qu'elle ne connaît personne. Ça doit être gênant!

— Ça n'a pas l'air de la déranger! Elle fait tout pour attirer son attention depuis une heure! As-tu remarqué? D'abord, elle a ramassé une grosse chenille sur un banc.

— Une chenille? Comment ça, une chenille?

— Je n'ai pas regardé; c'est trop écoeurant! Maintenant, ça fait dix minutes qu'elle joue avec une boîte d'allumettes! Elle la sort de son sac, la range, puis la sort de nouveau! J'ai bien vu son petit manège! Elle veut piquer la curiosité! Ou nous faire croire qu'elle fume! J'espère qu'elle va s'étouffer!

— Félix ne la regarde jamais dans les yeux! Il fixe ses pieds! Elle ne l'intéresse pas! J'en suis certaine!

— Tu crois?

— Sûrement!

En fait, je n'étais pas aussi convaincue que je le disais, mais il fallait bien que je remonte le moral de ma meilleure amie!

Chapitre II
La grande asperge

La cloche a sonné: les professeurs nous ont fait signe d'entrer; direction l'auditorium. Le directeur n'avait pas encore lu la lettre, car il a prononcé son discours habituel.

Il nous a souhaité la bienvenue, puis il nous a dit qu'il comptait sur chacun de nous pour bien travailler. Du même souffle, il a ajouté que nous étions chanceux d'aller dans cette école, qu'on agrandirait le gymnase au mois de novembre et qu'il savait qu'on allait accueillir nos nouveaux camarades de classe avec plaisir.

— Il se trompe! m'a chuchoté Stéphanie. Je n'adresserai pas la parole à la grande asperge!

Stéphanie déteste les asperges; j'ai compris qu'elle était vraiment jalouse de la nouvelle.

— Elle n'est pas si grande, ai-je protesté.

— Si tu aimes mieux te tenir avec elle, dis-le tout de suite!

Oh la la! Stéphanie est vraiment susceptible quand elle est amoureuse, et je n'ai plus rien ajouté. À la sortie de l'auditorium, notre ancien prof de français distribuait les horaires de cours: Stéphanie et moi étions dans la même classe. Ainsi que son beau Félix.

Mme Ouellette, notre titulaire, donnait le premier cours et nous a placés par ordre alphabétique. Ça change toujours après, lorsque les professeurs veulent séparer les amis.

J'étais assise juste à côté de la nouvelle. Je ne voulais pas qu'elle trouve que j'avais l'air bête et j'allais lui adresser un petit sourire lorsque la sirène du système d'alarme s'est fait entendre!

Le son était encore plus fort que les pleurs du bébé des voisins! On s'est tous levés et on s'est rués vers la porte de la classe malgré les cris de Mme Ouellette. Elle nous répétait de rester tranquilles! Mais je n'avais pas envie de finir en saucisse fumée! Même si j'aime les saucisses!

On se bousculait tous quand la voix du

DRRRIIIN
DRRRIING
DRRRIING
DRRRIING

directeur a retenti dans le haut-parleur au moment où cessait le tintamarre infernal de la sirène. Il nous disait qu'il n'y avait pas lieu de nous inquiéter, que c'était un court-circuit qui s'était produit dans le système de son de l'auditorium. Et surtout, de nous calmer rapidement.

On s'est calmés, mais pas aussi vite que Mme Ouellette l'aurait voulu. On commentait tous l'incident!

— Comment t'appelles-tu? ai-je demandé à la nouvelle.

— Yani.

Elle semblait vraiment timide, quoi qu'en dise Stéphanie.

— C'est un drôle de nom. Mais c'est beau. Moi, c'est Catherine. Tu connais déjà des élèves?

— Non... Pas vraiment. Des incendies, il y en a souvent?

Elle n'avait pas l'air rassurée.

— C'est la première fois. Moi, je trouve ça excitant. Avec un peu de chance, on aurait pu rater le cours!

Mme Ouellette m'a interpellée:

— Je vois que tu n'as pas mûri cet été, Catherine Marcoux! Toujours aussi bavarde! Tu raconteras tes vacances à la récréation!

J'ai croisé le regard de Stéphanie: si ses yeux avaient été des pistolets à rayons, j'aurais été immédiatement désintégrée! Elle ne voulait pas que je parle avec Yani!

Quand la cloche a sonné, tous les élèves se sont précipités vers l'auditorium pour constater les dégâts causés par l'incendie. Moi, j'ai rejoint Stéphanie.

— J'essayais de savoir si Yani connaissait Félix. C'est pour toi que j'espionnais!

— Excuse-moi. Tu avais l'air d'avoir du plaisir avec elle.

— Bien sûr, si j'ai l'air fâchée, elle ne me parlera pas. Il faut gagner sa confiance si on veut apprendre quelque chose au sujet de Félix.

Le visage de Stéphanie s'est éclairé.

— Tu as raison. Fais semblant d'être son amie. Tu me raconteras tout ensuite. Va lui parler!

Flûte! Je ne croyais pas que Stéphanie apprécierait cette petite combine. Maintenant, j'étais coincée.

Pendant que les élèves commentaient l'incendie (il n'y avait cependant aucune trace à l'auditorium), Yani examinait des fourmis dans un coin de la cour. Elle s'est relevée quand je suis arrivée.

— Tu regardais les fourmis?

— C'est génial! Mais j'aime mieux les abeilles, et elles ont aussi un super système d'organisation.

— Et des super dards! Je me suis fait piquer une fois!

— Tu devais avoir provoqué l'abeille.

— Dis tout de suite que c'est ma faute!

— Attends! a crié Yani alors que je me retournais. Je ne voulais pas être désagréable. L'abeille était peut-être

inquiète sans que tu le saches. Elle pouvait être en guerre contre d'autres insectes pour protéger la reine, et tu es arrivée au mauvais moment.

— Peut-être... Tu connais bien les bibites.

— Je veux être entomologiste.

— Entoquoi?

— M'occuper des insectes. Toi?

— Pas moi!

Yani éclata de rire:

— Je ne te demandais pas de t'occuper des insectes. Qu'est-ce que tu veux faire?

— Astronaute.

— J'y ai pensé aussi. J'aime bien observer les étoiles.

J'ai raconté à Yani que mon père m'avait offert un télescope pour mon anniversaire.

— Moi, j'ai un cherche-étoiles et j'aimerais beaucoup avoir un microscope. Mais ça coûte cher.

— Peut-être que tu pourrais en trouver un vieux...

— Peut-être...

Ton amie te fait des signes, m'a dit Yani. Je n'avais pas vu Stéphanie.

— Ah bon! Salut…

Stéphanie m'a entraînée derrière les balançoires.

— Qu'est-ce qu'elle t'a raconté? Elle aime Félix?

Je l'avais complètement oublié, celui-là!

— Je ne sais pas.

— Tu ne sais pas? Elle n'a pas voulu avouer?

— On n'a pas eu le temps de parler de Félix Tremblay.

Stéphanie m'a dévisagée.

— Je suppose que vous avez parlé de l'incendie, comme tout le monde! Ou de la lettre anonyme?

— On a parlé d'entologie.

— Elle a mal aux dents? Youpi! J'espère qu'elle aura un abcès et qu'elle sera défigurée pendant au moins une semaine!

Stéphanie se réjouissait vraiment!

— J'ai bien peur de te décevoir; l'enmologie…

— Enmologie ou entologie? Tu ne sais même pas ce que tu dis!

— J'ai dit entomologie, tu as mal compris! L'entomologie, c'est s'intéresser aux insectes.

— Les insectes? Je te l'avais dit qu'elle était bizarre!

— Moi, je ne trouve pas. Au chalet, nous avons vu de très beaux papillons, rappelle-toi!

— Toi aussi, tu es bizarre! Qui se ressemble s'assemble!

— Alors, il va falloir trouver quelqu'un de vraiment bête pour s'entendre avec toi, Stéphanie Poulin. Tu n'es jamais contente! Je retourne avec Yani!

Chapitre III
Ma nouvelle amie

Yani n'avait pas bougé de son coin, car elle observait une chenille qui se promenait sur un banc. C'était une drôle de chenille: elle avait des pattes à chaque extrémité de son corps, mais rien au milieu. Pour avancer, elle ramenait sa queue près de sa tête en faisant un pont, puis elle se détendait.

— Elle a une curieuse façon d'avancer.

— C'est une chenille arpenteuse. C'est amusant, mais le papillon est insignifiant! Je préfère la chenille du sphinx; elle est verte avec des piquants rouges sur le dos. On dirait un cactus!

— Ah! Tu aimes vraiment ça, les bestioles...?

— Oui... Qu'est-ce qu'elle aime ton amie, elle? demande Yani en désignant Stéphanie Poulin.

— Ce n'est plus mon amie. Je ne lui parlerai plus jamais. Elle peut bien garder ses vieilles barrettes!

— Ses barrettes?

J'ai seulement haussé les épaules. Je n'avais pas envie de raconter toutes les mesquineries de Stéphanie à Yani: c'était trop moche!

— Que penses-tu de la lettre anonyme concernant le directeur?

Yani a gardé le silence.

— Ça ne t'intéresse pas? J'ai vu la lettre, tu sais!

— Ah!

— Tu as déjà vu une lettre anonyme avec plein de bouts de papier?

— Seulement dans les films, admit Yani. Oh! Une araignée!

J'ai frissonné: Yani aimait aussi les araignées!

— C'est un insecte répugnant! Avec toutes ses grandes pattes...

— Ce n'est pas un insecte: elle a huit pattes! Les insectes en ont six. Regarde, elle va faire sa toile.

Je ne voulais pas que Yani croie que j'étais peureuse. Alors, j'ai dû me pencher pour observer l'horrible bestiole.

— Mais elle commence par l'extérieur!

J'avais toujours cru que les araignées tissaient leur toile en partant du centre et en déroulant leur fil en spirale.

— Tu vois que c'est amusant!

— Tu habites à la campagne? ai-je demandé.

— Non, a soupiré Yani. Depuis une semaine, je vis près d'ici. En ville! Et je ne connais personne…

— Personne? Je pensais que tu connaissais Félix Tremblay.

Yani rougit, puis bredouilla non, non, pourtant elle semblait vraiment très embarrassée. J'ai pensé que Stéphanie Poulin avait peut-être raison. Yani me mentait, mais je l'excusais, car elle aussi était amoureuse de Félix. Je n'ai pas osé lui dire que j'avais deviné.

Je suis rentrée seule chez moi, et le trajet m'a paru plus long. Habituellement, je parle avec Stéphanie. Maintenant, c'est bien fini. Et Yani ne prend pas l'autobus. Elle vient à pied à l'école, car elle habite tout près: dans la même rue que le directeur.

— Tu n'es pas chanceuse, lui ai-je dit, avoir le directeur du collège comme voisin!

Yani a rougi de nouveau. Décidément, elle est gênée. Ce n'est tout de même pas sa faute si ses parents ont déménagé près de chez M. Lemelin.

***

Quand mon père m'a demandé des nouvelles de Stéphanie, je lui ai dit que c'était bien terminé entre nous, et que ma nouvelle amie s'appelait Yani.

— C'est fini avec Stephy? Après toutes les aventures vécues ensemble?

— Oui! Il n'y a que les gars qui l'intéressent! Elle se fout même du feu!

— Le feu?

J'ai expliqué à papa ce qui s'était passé à l'école.

— Et vous n'avez pas quitté vos salles de cours?

— Non, c'était un petit incendie. Ce qui est bizarre, c'est que le directeur a parlé d'un court-circuit à l'auditorium. D'après Julien Parent qui avait oublié son sac dans la cour, la fumée venait du vestiaire.

— Pourquoi le directeur vous aurait-il menti? a demandé papa. Ton copain s'est trompé.

Non, Julien avait raison, comme on l'apprendrait très vite! Le vendredi, on a entendu de nouveau retentir la sirène! Cette fois-ci, nous sommes sortis dans le corridor pour courir dehors.

Dans la cour régnait une excitation folle, car on voyait très bien la fumée qui s'échappait des fenêtres du vestiaire. Une grosse fumée grise opaque. Ça sentait le caoutchouc brûlé. Julien, à côté de moi, m'a dit qu'il y avait une odeur identique la semaine précédente.

Deux incendies dans la même semaine, ça faisait beaucoup! Je ne crois pas aux coïncidences, et si Stéphanie avait été encore mon amie, nous aurions enquêté ensemble sur ces incendies criminels.

Le directeur a dit cette fois que c'était la chaudière de la cave qui était défectueuse. Il a dit aussi que nous nous conduisions comme des idiots et qu'on nous ferait faire des exercices d'évacuation.

— La panique est mauvaise conseillère et, dorénavant, vous écouterez attentivement les directives de vos professeurs. Nous ferons des répétitions lundi et mardi.

Le lundi, personne ne pensait à l'exercice d'évacuation, car Antoine Desjardins avait trouvé une seconde lettre anonyme. Affichée au tableau de la classe. Cette fois, on attaquait Mme Ouellette!

Madam Ouelaid a un tchom qui a 20 an de moins quelle et qui vie avec.

Et toujours signé: *Un ami qui vou veux du bien,*
Le Corbau

On a tous lu cette lettre avant que Mme Ouellette n'entre et ne la voie. Elle a rougi, a chiffonné le papier, en a fait une boulette qu'elle a jetée au panier sans faire de commentaires. Évidemment, à la récréation, on ne parlait que de cette deuxième lettre!

J'ai entendu Stéphanie Poulin dire à Amélie Saint-Arnaud qui ricanait que l'important était d'aimer.

— L'âge ne compte pas! Mme Ouellette a le droit d'aimer qui elle veut!

Stéphanie songeait à sa propre romance avec notre prof d'histoire. M. Pépin avait au moins dix-huit ans de plus qu'elle.

Moi, je pensais à l'auteur et non au contenu de la lettre. Qui l'avait écrite? Pourquoi? Et quel prof serait la prochaine victime?

Cette première semaine d'école était vraiment fertile en émotions!

Les jours suivants, papa a bien essayé de me convaincre de reparler à Stéphanie, mais c'était à elle de faire les premiers pas! Et puis j'ai beaucoup de plaisir avec Yani: elle m'a donné son cherche-étoiles en disant qu'elle ne s'en servait pas souvent.

Je pense que c'était pour être gentille, car elle sait très bien l'utiliser. Papa était drôlement curieux de la rencontrer. Il est toujours curieux de tout, d'ailleurs. C'est aussi bien, quand on est chercheur!

Chapitre IV
Encore des lettres!

J'avais hâte de retrouver Yani: papa m'avait suggéré de l'inviter, samedi, pour un barbecue. (Ses grillades sont bonnes, et il en est très fier!) Seulement, en arrivant dans la cour de l'école, j'ai vu un attroupement monstre près du tableau d'affichage. J'ai poussé un peu pour lire ce qui était annoncé.

C'était une autre lettre anonyme, mais à ma grande surprise, on exposait maintenant les travers d'une élève.

Amélie Sainte-Garnotte est une rapporteuse. Elle a dit à un professeur que François Tellier et Alexis Dugas fumaient dans les toilettes des plus vieux. Elle espionne tout le monde. Méfiez-vous!

Et c'était signé: *Un ami qui vous veut du bien,*

Le Corbeau

Amélie Saint-Arnaud n'était pas encore arrivée, car elle aurait arraché le message. Malheureusement pour elle, tout le monde l'avait lu quand elle s'est pointée. J'ai guetté ses réactions: son visage de fouine s'est fripé comme si elle allait pleurer. Mais elle n'a pas versé une larme, car la colère l'a emporté!

— Je vais le dire à mon père! a-t-elle rugi.

— Ou à un prof? a demandé un ami d'Alexis.

Amélie a protesté, juré qu'elle n'avait jamais su ce qui se passait dans les toilettes. Personne ne la croyait; elle parle toujours aux profs après la classe. Je ne sais pas s'ils la trouvent plus intelligente. Moi, le genre colleuse, ça m'énerve!

J'étais contente que le Corbeau l'ait dénoncée par cette lettre. Nous étions plusieurs à savoir qu'elle était un porte-panier! Quand j'étais petite, elle avait dit que j'avais copié un devoir de français!

— C'est vrai ce qui est écrit? m'a demandé Yani.

— La lettre anonyme?

— Oui… C'est vrai qu'Émilie est une espionne?

— Amélie, pas Émilie. C'est vrai, puisque le directeur a fait venir François et Alexis dans son bureau, il y a deux jours.

— Il a peut-être appris qu'ils fumaient par hasard!

Je m'étonnai:

— Tu défends la mémère Saint-Arnaud? Je ne savais pas que tu aimais sa compagnie!

— Ce n'est pas ça!

— Alors, c'est quoi?

— Vous n'avez pas de preuves. Et pas d'aveux. Dans notre société, on est innocent jusqu'à la preuve du contraire.

— Pardon?

Parfois, je trouve que Yani connaît trop de choses. On ne croirait pas qu'elle a six mois de plus que moi, mais au moins douze.

— Amélie n'avouera jamais: elle est super entêtée!

Yani a soupiré, puis elle a tiré une boîte à bijou en velours violet de son sac.

— J'ai apporté mon Queue d'hirondelle pour te le montrer. Il est beau, non?

Comme j'étais contente de changer de sujet, je me suis extasiée sur son papillon. Sans avoir à me forcer: ses grandes ailes jaune et noir étaient magnifiques. On aurait dit du velours ou du crayon pastel. Il y avait des petites taches bleu-gris et saumon qui paraissaient saupoudrées sur le bas des ailes: superbe!

Yani a accepté de venir manger, samedi soir.

— Mon père va aller te chercher et te reconduire.

Elle a rougi, puis secoué la tête:

— Non, non, j'aime mieux prendre ma bicyclette. J'ai le droit s'il n'est pas trop tard.

***

Cathy-la-star est une menteuse: elle n'a jamais été en Floride, ni à Disneyworld. *Elle raconte ses faux voyages pour épater Alexis Dugas.*

Un ami qui vous veut du bien,

Le Corbeau

Quand j'ai vu la lettre accrochée à un arbre de la cour, j'ai failli mourir! Tout le monde me regardait, et certains élèves avaient des petits sourires de pitié. J'ai arraché la lettre et je l'ai déchirée en un

million de morceaux. Puis j'ai essayé de me défendre. J'ai juré que j'étais réellement allée aux États-Unis.

— Qu'est-ce qui nous dit que c'est vrai?

— Je vous ai montré mon stylo Donald le Canard et mon tee-shirt où c'était imprimé *Magic Kingdom!* Je l'ai mis assez souvent!

— C'est quelqu'un qui te l'a donné!

— Vous avez vu les dépliants! Puis

mon billet d'entrée sur le site d'*Epcot Center*.

— On te l'a donné, a répété Amélie Saint-Arnaud. Elle était tellement satisfaite qu'on m'attaque aussi par courrier anonyme!

— Non. J'y suis allée! Stéphanie! Dis-leur que c'est vrai!

Dans ma rage, j'avais oublié que nous étions encore en chicane. Stéphanie m'a regardée longuement avant de hocher la tête pour m'approuver. Ouf!!!

— Elle y est allée, j'en suis certaine! Elle m'a raconté son voyage au complet. Dans les dépliants, ils ne disent jamais que le château est tout petit, pourtant Catherine le savait. Quand j'y suis allée ensuite, j'ai vu qu'elle avait raison. Elle n'a rien inventé, elle n'a pas assez d'imagination pour ça!

Ça, c'était pas mal moins gentil, mais je n'ai pas protesté.

— C'est normal que tu dises comme elle, tu es son amie, a fait Amélie Saint-Arnaud.

— Tu es jalouse parce que tu n'en as pas! a rétorqué Stéphanie.

— C'est vrai, ai-je ajouté.

Amélie Saint-Arnaud s'est jetée sur moi, et on a commencé à se battre. Mon père n'aime pas tellement que je me batte, mais moi, je n'aime pas tellement me faire narguer par une imbécile.

M. Boudreault nous a séparées en disant qu'on devrait avoir honte de se conduire ainsi. J'ai souhaité qu'il y ait une lettre anonyme pour lui le lendemain!

J'étais heureuse d'être réconciliée avec Stéphanie, mais je ne voulais pas laisser tomber Yani. Comment faire pour les fréquenter toutes les deux sans les fâcher? Si seulement Félix Tremblay avait été dans une autre école! Il l'aurait trouvée sûrement très, très calme!

Puisque, le lendemain, le Corbeau avait livré trois autres lettres!

Une pour Annie Martel, une pour Capucine Roy et une pour Alexis Dugas. Alexis était accusé de sucer encore son pouce en cachette! Je n'ai jamais vu quelqu'un d'aussi en colère! Il a donné des coups de pied dans tout ce qu'il y avait autour de lui, et un des cailloux touchés a rebondi et cassé une vitre du gymnase.

Évidemment, Mme Ouellette est accourue. Elle a fait une drôle de tête quand on lui a appris qu'on recevait, nous aussi, des lettres anonymes.

— Ce n'est pas une raison pour tout casser, a-t-elle dit. Mais son ton manquait de conviction! Elle a cependant demandé qui avait brisé la vitre.

— Alexis, tu iras t'expliquer avec le directeur et tu demanderas à tes parents de me téléphoner ce soir, sans faute.

Là, elle exagérait! Alexis n'était pour rien dans cette histoire! Le caillou avait rebondi tout seul, et Alexis n'aurait jamais frappé le caillou sans la lettre! Le seul responsable du dégât était l'auteur des lettres. Le Corbeau semait la zizanie dans l'école entière!

Chapitre V
À qui profite le crime?

J'aime bien l'action, mais les récents événements étaient d'un goût plutôt douteux. Il fallait faire quelque chose pour que ça cesse!

J'ai dit à Stéphanie que Yani pourrait nous aider à démasquer le Corbeau, mais elle a refusé.

— Tu veux la mêler à notre enquête? Nous sommes habituées de nous débrouiller ensemble pour résoudre les mystères! Elle ne connaît rien à nos méthodes!

— Elle est très douée en sciences. Elle sait peut-être prendre les empreintes digitales! Elle a des tas de poudres et de produits chimiques pour ses bibites.

Stéphanie a froncé les sourcils avant de bégayer:

— Les… les empreintes? Mais non! C'est inutile! Le coupable a sûrement mis des gants!

— Peut-être que non.

— Sûrement! À moins d'être idiot.

— Rien ne nous dit que l'ennemi est intelligent: c'est bien facile de prétendre n'importe quoi dans une lettre anonyme!

Stéphanie s'est mordu la lèvre, mais n'a rien ajouté.

La découverte des trois nouvelles lettres a semé la panique parmi les élèves. Maintenant, tous craignaient d'aller à l'école et de trouver un de ces maudits papiers. Papiers qui n'étaient jamais au même endroit. Comme ça, on ne pouvait pas guetter un emplacement suspect et pincer l'adversaire.

Il y avait de plus en plus d'élèves qui essayaient de ne pas venir en classe. Ils disaient qu'ils avaient mal au ventre. C'était vrai: de peur! Les professeurs s'inquiétaient aussi, ainsi que le directeur.

Mais c'est surtout le cuisinier de la cafétéria qui détestait la situation. Chaque midi, il nous répétait que sa nourriture était bonne, et que les microbes flottaient dans l'air, pas dans sa soupe. La preuve: les professeurs qui mangeaient avec nous n'avaient pas mal au ventre.

Pour les microbes, j'étais d'accord,

mais sa bouffe est infecte. Même les gâteaux rabougris de mon père sont meilleurs que les siens!

Et l'ambiance était encore pire que les desserts du chef! Tout le monde se méfiait de tout le monde. Plus personne ne se parlait!

— Il faut faire quelque chose! me répétait Stéphanie.

Je savais bien qu'elle voulait trouver le coupable pour que Félix Tremblay l'admire. Chaque fois qu'il passait près d'elle, dans la cour ou dans les corridors, elle cessait de respirer et semblait paralysée. Elle était vraiment en amour!

Elle voulait aussi démasquer l'auteur des lettres avant d'être attaquée à son tour. Elle tremblait, elle aussi, à l'idée des futures révélations! Si l'ennemi parlait de M. Pépin, le prof d'histoire de qui elle avait été amoureuse, elle serait la risée de tous.

— Tu as raison, il faut agir, ai-je dit. Mais comment? Nous n'avons aucune piste!

— Il faut absolument trouver à qui le crime profite!

— À quelqu'un qui veut se venger!

— Ou qui est jaloux!

— Jaloux de quoi? De qui? ai-je demandé.

— De tous ceux qui ont reçu une lettre. Tous les élèves qui ont été attaqués sont populaires, même Amélie Saint-Arnaud. Ça doit être quelqu'un qui n'a pas d'amis et qui vous envie qui écrit ces lettres.

— Peut-être... Mais personne ne peut envier les profs! Ça serait plutôt quelqu'un qui les déteste. Un élève qui a triché et qui a été puni?

— Il n'écrirait pas aux élèves, a protesté Stephy. Non! Le Corbeau est jaloux de ta popularité!

J'étais flattée que Stephy reconnaisse que je plaisais, mais il y avait un truc bizarre:

— Les lettres des professeurs sont pleines de fautes. Pas celles qui nous sont destinées!

— Ah! a fait Stéphanie.

— C'est étrange, non?

— Quand la personne écrit aux profs, elle fait des fautes exprès pour les narguer!

Ça pouvait être une explication. Mais

pas un indice!

— Il faut faire la liste des élèves qui n'ont pas beaucoup d'amis, a insisté Stéphanie.

Je n'étais pas convaincue. Cependant, je n'avais rien d'autre à proposer, j'ai donc pris une feuille blanche et un crayon, et on a dressé une liste. Il y avait Alice Dubois et Johanne Nadeau, mais ça ne comptait pas parce qu'elles étaient toujours ensemble.

Comme André Toupin et François Rioux qui passent leur temps à la bibliothèque et ne parlent à presque personne. Hubert Guay est souvent seul aussi parce qu'il est gros: les gars ne veulent pas

l'avoir dans les équipes sportives, car il n'est pas très rapide. C'est bête, il est vraiment gentil. Je me suis juré de lui parler plus souvent.

— Il y a le nouveau. Justin Boutet. Et la nouvelle.

— Yani? Voyons! C'est stupide. Yani déteste les lettres anonymes! Et puis, elle a des amis.

— Ah, j'oubliais! Toi et Félix Tremblay! a dit Stéphanie d'un ton pincé.

Je n'ai pas répondu, car je n'avais pas envie de me disputer encore avec elle. Il valait mieux mettre au point le déroulement de notre enquête.

On a convenu qu'il fallait désormais arriver les premières à l'école pour surveiller ce qui se passait. L'ennemi devait déposer ses lettres empoisonnées à l'abri des regards. Soit après la fin des cours quand les classes sont vides, soit avant le début des cours quand personne n'est encore arrivé.

— Le Corbeau circule facilement dans l'école. Il connaît bien les horaires et les élèves.

— Et les profs, a ajouté Stéphanie. Il faut que ce soit l'un ou l'autre!

— Un prof n'a aucune raison de nous envoyer des lettres!

— C'est un élève, c'est ce que je te disais!

— Et les feux?

— Les feux? s'est étonnée Stéphanie.

— Ils se sont déclarés pendant les cours: il faut trouver quel élève était absent de la classe au moment des incendies.

— On peut avoir déposé un produit chimique qui s'enflamme à retardement. Comme un bâton de dynamite! L'élève était donc parmi nous quand le feu a pris… Mais tu crois vraiment qu'il y a un rapport entre les feux et les lettres?

Je n'en savais rien, cependant il ne fallait rien négliger.

Nous devions découvrir qui rôdait dans l'école au moment des incendies. Ou qui était bon en chimie. Ensuite, il fallait savoir si cette personne avait traîné après les cours ou était arrivée très tôt le matin.

— C'est peut-être un des employés chargés de l'entretien, ai-je suggéré.

— Pour quelles raisons enverrait-il des lettres?

— Parce qu'on l'énerve! Parce qu'on salit tout! Il doit être fatigué de faire le ménage derrière nous!

— Non, c'est stupide.

— Merci, Stéphanie. Toi qui es si brillante, tu as d'autres idées?

— Le cuisinier: on se plaint tous les jours de sa bouffe, on la jette dans les pots de fleurs. Il doit être vexé.

— Comment pourrait-il savoir que je suis allée à *Disneyworld?* Réfléchis un peu!

— Oui, dit Stéphanie. C'est quelqu'un qui te connaît bien qui a pu écrire ça...

— Mais des tas d'élèves me connaissent bien: ça fait des années que je vais à la même école!

Stéphanie a soupiré, visiblement mécontente. Mais quand je lui ai demandé pourquoi elle était furieuse, elle a dit qu'elle n'était pas furieuse du tout. Puis elle a dit qu'elle en avait assez de cette histoire!

J'étais surprise: Stephy a toujours été hyper curieuse! Elle devait avoir encore plus peur que je ne l'imaginais.

— Tu sais, ai-je dit pour la calmer, c'est pas mal dur sur le moment, mais ce n'est pas la fin du monde.

— Quoi?

Elle était dans la lune, à rêver à Félix! Une enquêtrice amoureuse est une enquêtrice nulle!

— Quoi? Recevoir une lettre, voyons! Ce n'est pas un drame!

— Je le sais.

Stéphanie m'énerve tellement quand elle prend son air supérieur de mademoiselle-je-sais-tout!

— Tu ne peux pas savoir, tu n'en as pas reçu! Tu verras ce que ça te fera!

Je n'avais plus du tout envie de la rassurer!

Chapitre VI
L'inondation

Mercredi, quand la cloche du premier cours a sonné, personne n'aurait pu deviner qu'il n'y aurait justement pas de premier cours! Amélie Saint-Arnaud qui est toujours la première à entrer dans la classe a poussé un grand cri.

— Mes souliers neufs! a-t-elle hurlé.

Elle avait les pieds trempés! Car l'ennemi avait introduit un boyau d'arrosage par une des fenêtres de la classe. Il avait vissé le boyau aux robinets de la cafétéria et ouvert l'eau froide!

Ce n'était pas une grosse inondation, mais c'était suffisant pour qu'on doive quitter notre salle de cours. Mme Ouellette avait l'air aussi furieuse que découragée!

Les élèves des classes voisines sont venus voir ce qui se passait. Les profs ont décidé de nous envoyer tous à l'auditorium. M. Boudreault nous a accompagnés tandis que Mme Ouellette allait prévenir le directeur. Avant de nous quitter, elle nous a dit, comme d'habitude, qu'elle comptait sur nous pour rester tranquilles.

Le directeur, après avoir vu l'inondation, est venu nous parler à l'auditorium. Il a reconnu que l'heure était grave, très grave parce qu'un criminel s'amusait à saboter notre belle école.

— Je ne voulais pas vous inquiéter, mais les deux incendies de la semaine dernière n'étaient pas accidentels! Et la multiplication de ces affreuses lettres ne l'est pas non plus. On nous calomnie, vous comme moi, pour détruire l'esprit fraternel qui a toujours habité notre collège.

Il s'est raclé la gorge avant d'ajouter:

— Je tiens à vous rassurer: j'ai communiqué avec les autorités policières qui nous enverront aujourd'hui un détective. Je compte sur votre collaboration! Il faut aider M. Trépanier, l'enquêteur, à découvrir la personne qui veut notre perte.

Et cetera, et cetera, et cetera. Notre directeur adore faire des discours; il a continué un bon moment. Je ne l'écoutais pas vraiment, plus intéressée à observer mes camarades. J'essayais de deviner qui était inquiet à l'annonce de l'arrivée d'un détective. C'était difficile, car tout le monde était surexcité.

Stéphanie était particulièrement énervée, mais elle avait une bonne raison. Elle n'appréciait pas plus que moi la concurrence! Nous avions commencé à enquêter les premières. C'était déjà assez ardu comme ça, sans avoir un professionnel dans les jambes!

Il fallait interroger nos amis sans éveiller leur méfiance, sans insister. Non seulement ils étaient sur leurs gardes à cause de ces fichues lettres, mais surtout, ils ne se souvenaient pas de ce qu'ils avaient fait quelques jours auparavant! Nos questions étaient pourtant simples!

Tout ce qu'on pouvait espérer, c'est que les élèves n'en diraient pas davantage au détective! Stéphanie et moi étions bien décidées à garder secrètes nos hypothèses!

Yani, elle, croyait qu'il valait mieux nous mêler de nos affaires.

— C'est parce que personne ne t'a attaquée! lui ai-je dit. Tu t'en préoccuperais si c'était de toi dont on s'était moqué par lettre!

Yani a fait une petite moue:

— Je ne changerais pas d'idée! (Stéphanie et elle se ressemblaient sans le savoir!)

— Il n'y a que les insectes qui t'intéressent! ai-je dit.

— Pourquoi pas? Je t'ai déjà parlé de la chenille du sphinx? J'en ai trouvé une près d'un banc après le cours de maths, mercredi! Le papillon est fantastique! Il plonge une longue trompe dans le calice des fleurs et il vole sur place comme un colibri!

Mercredi? Oh non! Je devais mettre Yani sur la liste des suspects. Elle avouait elle-même être restée à l'école après le dernier cours, mercredi. Et c'est le jeudi qu'on avait découvert les quatre lettres!

Était-ce elle qui les avait déposées après le départ des élèves? Pourquoi? Je ne lui avais rien fait! Au contraire; je l'avais invitée chez moi!

Je devais toutefois admettre que j'avais parlé avec Yani de mon voyage à *Disneyworld*. En était-elle jalouse? Quant aux autres victimes, il était possible qu'elle ait eu des renseignements en traînant dans la cour. Elle faisait peut-être semblant de collectionner les insectes. Je ne savais plus quoi penser!

Je ne pouvais pas oublier que Yani m'avait menti à propos de Félix Tremblay. Elle me cachait peut-être autre chose. Mais je ne pouvais pas en discuter avec Stéphanie! Elle aurait été trop contente!

En continuant à parler avec Yani, j'ai fini par comprendre qu'elle partait toujours très tard de l'école. Et j'avais remarqué qu'elle était toujours présente avant moi le matin...

Elle n'avait pas d'amis, excepté moi. Elle se trimballait toujours avec une boîte d'allumettes. Si elle m'avait souvent répété qu'elle trouvait les lettres anonymes odieuses, c'était pour détourner mes soupçons!

Il fallait que j'en aie le coeur net! Que je sache la vérité sur Yani!

***

Quand la cloche a sonné la fin des cours, je me suis cachée dans le vestiaire et j'ai surveillé Yani. Elle prenait son temps pour enfiler son blouson, fermer

son cadenas, ramasser son sac d'école. Et elle ne cessait de regarder autour d'elle comme si elle craignait qu'on la voie s'attarder ainsi.

Elle s'est enfin décidée à quitter le vestiaire. Elle a monté très lentement l'escalier qui mène aux salles de cours. Je l'ai suivie en souhaitant qu'elle n'entende pas les marches craquer! Elle est restée quelques secondes dans le corridor, puis elle s'est dirigée vers la sortie.

Je n'y comprenais plus rien! J'étais persuadée qu'elle allait sortir une lettre de son sac et la cacher dans une des salles de cours! Pourquoi restait-elle, alors?

Dans la cour, elle marchait encore moins vite qu'une tortue! Et c'était pire dans la rue: elle se traînait vraiment les pieds! Elle s'arrêtait continuellement; j'aurais juré qu'elle redoutait d'être épiée. J'étais gênée de l'espionner, mais c'était la seule solution!

Elle s'est dirigée vers le parc des Oiseaux et là, elle s'est assise sur un banc. Puis elle a regardé sa montre. Une fois, deux fois, trois fois: elle attendait sûrement quelqu'un! Elle avait sorti une boîte d'allumettes et la tenait fermement contre elle, comme si elle avait peur qu'elle s'envole!

J'ai réussi à m'approcher du banc en

courant d'arbre en arbre. Je me suis dissimulée derrière le gros tronc d'un érable. J'ai dû attendre dix minutes avant qu'il ne se passe quelque chose! J'étais aussi impatiente que Yani qui regardait de plus en plus souvent sa montre.

Enfin, celui qu'elle attendait est arrivé: un garçon avec une veste en jean déchirée. Il avait les cheveux roux, mais pas beaucoup de taches sur le visage. Yani avait l'air super contente de le voir; je ne l'avais jamais vue sourire autant.

Elle lui a donné tout de suite sa boîte d'allumettes. Il lui en a tendu une semblable. Elle l'a ouverte en poussant des cris de joie. Elle sautait, elle dansait en le remerciant sans arrêt! J'aurais bien voulu voir ce qu'il lui avait remis. Elle l'a embrassé sur la joue, puis ils se sont ensuite séparés.

J'étais tentée de suivre le garçon, mais j'ai continué à filer Yani.

Et je l'ai vue entrer dans la maison du directeur! Elle avait la clé: c'était donc là qu'elle habitait!

Yani, la fille du directeur? Comment aurait-on pu imaginer une chose pareille?

Chapitre VII
Congé d'école!

Je finissais de beurrer mes rôties quand papa a ouvert le poste de radio. Il voulait savoir s'il ferait beau durant la fin de semaine. Je l'espérais autant que lui, car nous devions aller au chalet de son ami Jean-Marc.

— Il faut en profiter avant l'hiver, commença papa.

— Chut! On parle de mon école!

Nous répétons cette information de dernière heure: une explosion s'est produite au collège Nouvelle Cité, causant des dommages importants à l'aile gauche du bâtiment. Par conséquent, les élèves sont priés de ne pas se présenter à leurs cours aujourd'hui.

Le directeur affirme que le collège sera en mesure d'ouvrir ses portes lundi matin: «Nos professeurs donneront leurs cours dans l'auditorium ou le gymnase s'il le faut, mais nous ne nous laisserons pas intimider.» Le directeur étant persuadé que l'explosion est due à des manoeuvres criminelles.

— Eh bien! a fait papa. Je n'aime pas tellement te savoir dans cette école, Catherine… L'incendie dans l'auditorium n'était donc pas un accident?

— Je ne sais pas…

J'étais tentée de raconter ce qui s'était passé à papa, mais il n'aurait jamais voulu que je retourne au collège. Et je ne voulais pas lui avouer que j'avais déchiré la lettre du directeur. Il avait convoqué les parents après l'inondation pour les rassurer. Car évidemment, plusieurs élèves avaient tout répété à leurs familles.

Stephy aussi avait dû jeter la lettre, puisqu'elle devait enquêter. Elle avait cependant une voix bizarre quand je lui ai téléphoné.

— Tu as appris qu'il y a eu une explosion?

— Oui.

— Il faut qu'on se voie!

— On ferait mieux d'abandonner, Cat.

Je n'en croyais pas mes oreilles! Elle affirmait le contraire la veille!

— Quoi? Es-tu malade?

— C'est trop dangereux!

— On a vécu des aventures bien plus graves, Stephy!

— Justement: inutile de risquer notre vie une autre fois!

— Mais j'ai découvert quelque chose d'extraordinaire! Tu avais raison à propos de Yani!

— Quoi?

— Si tu veux en savoir plus, viens chez moi. J'ai dit à papa qu'on profiterait de cette journée de congé pour étudier.

— Il t'a crue?

— Je ne sais pas. Mais il est d'accord pour que tu viennes.

Mme Poulin est venue conduire Stéphanie à dix heures. On a bu un lait aux fraises, puis je lui ai raconté ma filature. Stéphanie n'arrêtait pas de m'interrompre.

— Tu es certaine que le garçon qu'elle a vu n'était pas Félix Tremblay?

— Évidemment, Stephy!

— Et elle est amoureuse de lui?

— Je ne lui ai pas demandé! ai-je dit. Mais elle l'a embrassé sur la joue.

— Ah! Super!

— Oui, bon, je peux continuer? Je m'impatientais: il n'y avait que l'histoire d'amour qui intéressait mon amie.

— Mais elle était contente de lui parler?

— Oui, oui, oui et ensuite elle a serré contre elle la boîte qu'il lui a donnée comme si elle contenait un diamant!

— Ah!

Stéphanie semblait ravie et déprimée à la fois: je la comprenais de moins en moins! Elle détestait Yani, et j'admettais qu'elle avait vu juste. Elle aurait dû sauter de joie!

— J'ai suivi Yani après le départ du gars, et elle est rentrée chez elle... Chez elle, c'est chez le directeur! Yani est la fille de M. Lemelin!

— C'est impossible!

— Non! Tu avais bien deviné! Yani doit être super fâchée contre son père pour causer toutes ces catastrophes! Tout se tient! Elle a pu trouver les clés de l'école et s'y introduire facilement et quand elle le voulait! Et le directeur ne se méfiait pas d'elle!

Yani a écrit les lettres parce qu'elle trouve qu'on ne s'occupe pas d'elle! Elle est toujours dans son coin avec ses insectes. De plus, elle traîne toujours des boîtes d'allumettes!

— Mais elle vient juste d'arriver à l'école: elle ne pouvait pas savoir qu'Amélie est un porte-panier.

— C'est facile à deviner; elle a été perspicace, c'est tout. Elle est très, très intelligente, tu sais. La preuve: la première lettre était destinée à son père, pour détourner les soupçons!

— Mais c'est ton amie! Elle n'aurait pas écrit une lettre pour t'accuser de mensonge...

— Ce n'était pas une vraie amie!

Stéphanie se mordait les lèvres et tortillait sa mèche sans arrêt.

— Tu ne peux pas dire ça, a-t-elle bredouillé.

— Je ne te comprends plus! ai-je explosé. Tu ne sais pas ce que tu veux à la fin!

Stéphanie a éclaté en sanglots. Je ne savais pas quoi faire. Je ne voulais pas être bête avec elle, mais son attitude était si étrange! Je n'arrêtais pas de lui dire que je m'excusais, et elle répétait:

— Non, c'est moi qui m'excuse! Pardonne-moi, Cat!

— Te pardonner quoi?

— C'est moi qui ai écrit les lettres!

Quoi! Stéphanie était tombée sur la tête!

— Qu'est-ce que tu dis?

— J'ai écrit les lettres des élèves, car je voulais qu'on accuse la nouvelle. Si tout le monde se mettait à la détester, elle devrait quitter l'école!

— Tu voulais qu'elle parte à cause de Félix Tremblay?

— Oui. Et à cause de toi. Tu dis que tu es ma meilleure amie, mais tu es presque toujours avec Yani!

— C'est toi qui m'a poussée vers elle!

— Je ne pensais pas que tu la trouverais mieux que moi!

— Je ne la trouve pas plus ni moins fine que toi! Vous vous ressemblez!

J'étais un peu fâchée contre Stéphanie, mais en même temps, j'étais contente d'apprendre que Yani n'avait pas écrit les lettres. Cependant, Yani avait peut-être causé les dégâts: il fallait la convaincre de tout avouer à son père avant que le détective et les journalistes ne s'en mêlent!

Stéphanie voulait réparer sa bêtise.

— Je vais dire la vérité à Yani! Tout est ma faute!

Il faut toujours qu'elle exagère!

— Tu n'as quand même pas mis le feu ni inondé la classe…

— Mais ce n'est pas Yani non plus! Elle est plutôt sage. Et même timide.

Rien ne prouve que c'est elle! On ne l'a pas prise sur le fait!

— C'est qui alors?

— Je n'ai pas écrit les lettres à son père ni à Mme Ouellette. Crois-tu que Yani pourrait toujours prendre les empreintes?

— Elle pourrait subtiliser la lettre du directeur!

— Espérons qu'il ne l'a pas jetée!

Selon la réaction de Yani, nous saurions la vérité. Si elle était coupable, elle refuserait de nous aider, de peur de dévoiler ses propres empreintes. Si elle était innocente, on lui raconterait tout, et elle nous aiderait dans notre enquête!

Nous avons décidé d'en avoir le coeur net.

— Elle doit être à l'école avec son père!

— Allons-y! On fera comme si on n'avait pas entendu les informations à la radio.

Au collège, il y avait encore une voiture de police, et on nous a interdit d'entrer dans l'école. J'ai dit que j'avais oublié mes devoirs de maths, mais ça n'a pas marché. L'officier a même rigolé:

— Tu es vraiment si pressée que ça de faire des calculs?

— Il n'y a pas d'élèves qui sont entrés, alors?

— Non. Aucun. Des experts évaluent les dégâts, et on ne veut pas de jeunes qui pourraient se blesser.

J'ai failli lui dire que je n'étais pas un bébé, mais Stéphanie a insisté à son tour.

— Vous êtes certain qu'aucune fille de notre âge n'est venue ici? Une fille avec des beaux cheveux longs et des grands yeux?

— Avec le directeur? ai-je ajouté.

— Le directeur a d'autres chats à fouetter que de garder une gamine! Allez, rentrez chez vous!

Où était donc Yani?!

— Allons chez elle.

Chapitre VIII
Une piste?

Non, Yani n'était pas à la maison. Et Mme Lemelin a paru très soucieuse quand je me suis présentée.

— Tu es Catherine?

— Oui, et voici Stéphanie. On a congé d'école, comme vous savez, et on voudrait jouer avec Yani.

— Tu es Catherine Marcoux? m'a répété Mme Lemelin. Attends!

Elle est revenue et nous a montré un bout de papier où était écrit mon nom et mon numéro de téléphone.

— Elle m'a dit qu'elle passait la journée chez toi!

— Ah!... Votre fille et moi devons nous être trompées. Je croyais que c'était moi qui venais chez vous, Mme Lemelin.

— Ma fille? Yani est ma nièce. J'imagine qu'elle ne vous en a rien dit...

Mme Lemelin nous a expliqué que les parents de Yani l'avaient inscrite à la

Cité Nouvelle, car il n'y avait plus de place à l'école du quartier où ils venaient d'emménager.

— Mais elle habite ici, non?

— Pour le mois, le temps qu'on finisse les travaux dans leur maison. C'est plus calme pour étudier. Mais elle avait si peur qu'on découvre que son oncle est le directeur de l'école! Elle l'adore, mais c'est embarrassant...

— Elle l'aime vraiment?

— C'est son oncle préféré! Je vais appeler à l'école; elle doit l'avoir rejoint!

Stephy et moi avons secoué la tête ensemble. Nous étions déjà allées à l'école et Yani n'y était pas.

— Où est-elle donc passée? a gémi Mme Lemelin.

— Chez moi, sûrement. Elle doit m'attendre. C'est curieux qu'on ne se soit pas croisées en chemin!

— Allons vite la retrouver, a dit Stéphanie.

— Et appelez-moi aussitôt! nous a fait promettre Mme Lemelin.

Stéphanie et moi, on marchait en silence, plutôt embêtées. Où était Yani? Tout à coup, un papillon a voleté sous notre nez. Stephy m'a regardée: nous avions la même idée, le parc des Oiseaux.

— Elle est allée retrouver son amoureux! a crié Stéphanie.

— Dépêchons-nous!

Nous avons couru jusqu'au parc où nous avons trouvé Yani. Dès qu'elle nous a vues, elle s'est mise à m'insulter!

— Espèce de sale espionne! Tu es pire qu'Amélie Saint-Arnaud! Tu n'avais pas le droit de me suivre! Maintenant, tu peux aller tout raconter à l'école! Je n'y retournerai jamais! Je vais quitter Montréal, et vous ne me verrez plus!

Oupse! Yani avait découvert que je l'avais suivie...

— C'est ma faute! a dit Stéphanie. Écoute-moi, Yani. Cat ne t'aurait pas suivie si je ne l'avais pas mise sur ta piste! Tout est ma faute!

— Quoi?

Stéphanie s'est rapprochée de Yani et lui a expliqué le coup des lettres. Puis elle s'est excusée. Et a juré, comme moi, que nous tairions sa parenté avec le directeur.

— Voilà l'explication, a dit Yani. Je me demandais pourquoi la lettre de mon oncle et celle de Mme Ouellette étaient pleines de fautes et pas les autres! Un premier point est éclairci!

— Tu t'intéresses maintenant à cette histoire? ai-je demandé.

— Depuis le début, mais je ne te connaissais pas assez pour te faire confiance. Je voudrais trouver le coupable pour faire plaisir à mon oncle!

— Peux-tu relever des empreintes sur sa lettre?

Yani a secoué la tête:

— Non, il a remis la lettre à l'enquêteur... On n'a aucune piste... Mais lui non plus.

— Allons chez Catherine et écrivons noir sur blanc le calendrier des événements, a proposé Stephy. Peut-être que ça nous aidera?

Nous n'avons pas noté la découverte des lettres de Stéphanie, évidemment! La liste était assez courte:

Le 6 septembre: Premier incendie et lettre à M. Lemelin.

Le 8 septembre: Deuxième incendie.

Le 11 septembre: Lettre à Mme Ouellette.

Le 13 septembre: Inondation.

Le 15 septembre: Explosion.

— On n'a même pas une série de jours pairs ou impairs, commenta Yani.

— Attends, écrivons les jours de la semaine!

Les incidents avaient toujours lieu les lundis, mercredis et vendredis!

Il nous fallait trouver qui venait à l'école seulement ces jours-là!

— Grâce à tes lettres, la piste est brouillée pour le détective! a dit Yani à Stéphanie. Il va inscrire aussi les jours où les élèves ont reçu des lettres! On va trouver avant lui! Super!

Qui pouvait avoir une raison d'aller à Cité Nouvelle trois jours par semaine?

— Il y a le prof de dessin: elle ne vient pas tous les jours, il faudrait vérifier son horaire, a dit Yani.

— Mais quel serait son motif? a objecté Stephy. Elle aime bien le collège; elle y travaille depuis des années! Le Corbeau est quelqu'un qui cherche à se venger. Et qui se croit supérieur à tous pour oser le faire!

— Mais se venger de quoi? D'une mauvaise note? On n'a pas encore eu un seul contrôle!

— Et si c'était un élève qui n'a pas

été admis à l'école? Il peut faire du sabotage pour se venger d'être exclu.

— On peut aussi être exclu après avoir été admis! a ajouté Yani.

— Oui! Il nous faudrait la liste des élèves qui ont été renvoyés l'an dernier. Qui en veulent au directeur et à Mme Ouellette. Ils sont les seuls à avoir reçu des lettres.

Yani avait l'air songeuse et elle nous a dit qu'elle essaierait de se procurer les noms de ces élèves. La liste existait, son oncle en avait remis une copie au détective.

— C'est sûrement un grand, a affirmé Stéphanie. Mme Ouellette enseignait avant aux plus vieux.

— Il nous faut aussi un bottin des élèves avec des photos. Sinon, les noms ne nous serviront à rien...

Yani avait raison; c'est en comparant les noms de la liste avec les photos qu'on reconnaîtrait peut-être notre ennemi. Nous avions probablement vu le Corbeau rôder dans les corridors de l'école, mais alors nous ne le connaissions pas.

— Mais Mme Ouellette ou ton oncle auraient pu l'identifier. Et les élèves avec qui il étudiait avant.

— Il circule donc quand tout le monde est en classe...

— Non! avant le début des cours! Les incidents ont toujours lieu tôt le matin.

— Qui entre avant les élèves à l'école?

Yani a claqué des doigts:

— Le cuisinier! Les employés de l'entretien! Et les livreurs! On vient porter le lait vers sept heures et demie. Même chose pour le pain. La viande, je ne sais pas. Mais j'ai vu plusieurs fois le camion du laitier!

— Le laitier?

— Et quand il passe chez nous, il est toujours avec un apprenti, a fait remarquer Stéphanie.

Nous disposions de toute la fin de semaine pour nous procurer la liste et un bottin. Et le lundi, nous n'aurions qu'à prendre notre Corbeau sur le fait. Avant qu'il ne commette un autre attentat!

— Où trouver l'ancien bottin des grands? a dit Yani. Mon oncle les conserve à l'école, et c'est fermé samedi et dimanche...

Stéphanie avait un drôle d'air en suggérant à Yani de demander à Félix Tremblay.

— À Félix? Pourquoi?

— Il a une grande soeur. Mme Ouellette lui enseignait l'an dernier. Tu ne le savais pas?

— Je connais sa soeur Sophie, mais...

— Mais quoi?

— Il m'intimide, Félix. Demande-lui, toi, Stéphanie. Il te trouve belle, il va dire oui.

Stéphanie avait les yeux aussi ronds que les anneaux de ses boucles d'oreille.

— Je pensais que vous étiez amis...

— C'est seulement mon voisin dans ma nouvelle maison. Il sait que je suis la nièce du directeur. Il l'a vu chez mes parents. Mais il a promis le secret.

— Bon, c'est parfait: Stephy va chercher le bottin, Yani la liste, et on se retrouve chez moi à la fin de l'après-midi. Dépêchez-vous, on va rater l'autobus. Ah oui, j'oubliais, ta tante s'inquiète, Yani, tu ferais mieux de rentrer tout de suite!

Yani rougit, toussa un peu avant de murmurer qu'elle devait rester encore un moment au parc.

— Pourquoi?

— Viens, Cat, tu ne comprends pas.

Yani attend son amoureux.

— Ce n'est pas vraiment mon amoureux. Mais Jean est super: on s'échange nos insectes. Hier, il m'a donné la chenille d'une Saturnie!

— Une Saturnie? Avec les lunes dans les ailes?

— Tu vois que tu t'y intéresses aussi, Cat! a fait Yani en riant.

— C'est sûrement formidable, a dit Stéphanie. Mais l'autobus ne nous attendra pas!

— Bon, je vais appeler ta tante et lui dire qu'on t'a retrouvée et…

Je n'ai pas fini ma phrase: Stéphanie me tirait par la manche de toutes ses forces.

Elle courait presque, tellement elle avait hâte de voir Félix!

Chapitre IX
Le Corbeau

— Chut! On va nous entendre! a marmonné Yani.

— Vous allez tout faire rater! a dit Félix qui avait voulu venir avec nous.

Ils étaient très nerveux. Stephy et moi aussi, mais moins, car ce n'était pas notre première enquête! Nous étions arrivés plus tôt à l'école pour mettre au point notre piège. J'avais de la chance: papa était parti à six heures et demie, ce matin. Il fallait qu'il aille à Québec.

La mère de Stéphanie avait tellement de travail avec sa petite soeur qu'elle n'avait pas remarqué que Stephy quittait la maison plus tôt que d'habitude.

Félix avait prétexté un devoir à recopier avant le début des cours. On l'avait grondé, mais il avait pu partir à sept heures. Yani, elle, arrivait toujours de bonne heure, elle n'avait donc pas eu d'explication à fournir. Et elle avait réussi à subtiliser la liste. Et la clé de la porte de la cuisine.

Nous nous étions cachés dans le garde-manger. Il est tellement vaste qu'on y tenait tous les quatre facilement! Nous avions découpé les photos de nos suspects: deux avaient été expulsés l'année précédente. On identifierait vite le coupable!

Le cuisinier est arrivé et a commencé à sortir les ingrédients nécessaires à la composition du repas du midi. À le voir travailler, ça promettait d'être bon. Mais il devait tout gâcher à la fin.

— J'ai chaud! a dit Stéphanie. On étouffe ici! Il...

— Chut! Voici le laitier.

Le laitier arrivait avec son carnet de commandes et discutait avec le cuisinier.

— On vous livre autant de lait, cette semaine?

— Oui, oui... Votre gars n'est pas avec vous, ce matin?

— Oui, mais il traîne, comme d'habitude. Un vrai paresseux! Tiens, le voilà!

Même si on ne le voyait que par la fente de la porte, nous l'avons reconnu immédiatement: Toni Drouin! Il niaisait

toujours devant la cour de l'école l'an dernier après avoir été renvoyé. Il avait brisé des vitres et jeté des pupitres par les fenêtres avant de faire un gâchis dans le laboratoire.

Toni Drouin avait essayé de se faire pousser une moustache. Mais elle était minable et ne changeait pas beaucoup son visage. Il a trimballé plusieurs caisses de lait et des boîtes de beurre tandis que son patron parlait avec notre cuisinier.

— Prenez donc un petit café avant de continuer votre route, a suggéré le cuisinier.

— Merci. Votre café me fait toujours du bien. Toni, va m'attendre dans le camion. Je n'en ai pas pour longtemps!

Toni a filé aussitôt. On a compris: il allait commettre un autre crime! Nous avons bondi hors du garde-manger comme des ressorts! Les deux hommes nous ont regardés sans bouger, trop surpris.

Nous avons quitté la cuisine en silence, nous efforçant de rattraper Toni Drouin sans qu'il nous voie. Il a grimpé dans le camion et en est ressorti avec un petit bidon d'essence.

Il voulait encore mettre le feu!

Je n'ai pas eu le temps de retenir Yani, elle a crié:

— Arrête! Pose ton bidon, espèce de parasite!

Yani déteste par-dessus tout les parasites qui dévorent les larves des papillons!

Toni Drouin était tellement surpris qu'il a lâché son bidon. Puis il s'est mis à courir vers la porte de la cour, mais elle était fermée. Sans la clé de Yani, nous n'aurions pas pu entrer dans l'école.

Toni Drouin l'avait oublié: il était habitué d'arriver par l'entrée des fournisseurs. Il était plus grand que nous, seulement nous étions quatre! Comme les mousquetaires! On s'est jetés sur lui tous ensemble!

Nous l'avons vaincu, évidemment! Stéphanie a pris sa ceinture de cuir pour

lui attacher les pieds, et Félix a utilisé la sienne pour lui maintenir les poignets dans le dos.

Devant le laitier et le cuisinier qui servaient de témoins, on a obligé Toni à avouer ses méfaits. Il a reconnu avoir écrit des lettres, mis le feu, inondé la classe et causé l'explosion. Son patron l'a renvoyé sur-le-champ:

— Quand je pense que je t'ai embauché pour te donner une chance après ton renvoi! Et parce que M. Lemelin me l'avait demandé! Il va être déçu!

— Mon oncle sera là à sept heures et demie pile, a juré Yani qui lui avait téléphoné. Il est maniaque de l'exactitude.

M. Lemelin a fait une drôle de tête quand il nous a vus entourant un Toni Drouin solidement ficelé. Puis il a écouté nos explications.

— Je n'approuve pas vraiment vos méthodes, les enfants! C'était dangereux: ce Toni nous a toujours causé un tas de problèmes! Nous allons régler son cas maintenant... Je vous félicite tout de même! Vous êtes vraiment futés! Je vous emmène samedi prochain à la Ronde ou au Jardin botanique pour vous remercier!

— On va visiter l'Insectarium? a demandé Yani. Tu verras, Cat, c'est génial!

Stéphanie n'écoutait pas. Même si Félix Tremblay avait l'air gêné, elle ne pouvait s'empêcher de le contempler!

Elle ne changera donc jamais?

— Il nous reste les étoiles et les insectes! ai-je dit à Yani qui riait.

Un papillon monarque est passé près de nous à ce moment comme pour nous approuver!

Catherine et Stéphanie, volume 1

Table des matières

Les classiques de la courte échelle réédités sous forme de recueils

Premier Roman (à partir de 7 ans)
Série Clémentine (Chrystine Brouillet et Daniel Sylvestre)
Volume 1

Série Fred (Marie-Danielle Croteau et Bruno St-Aubin)
Volume 1

Série Adam Chevalier (Marie Décary et Steve Beshwaty)

Série Nazaire (Jasmine Dubé et Sylvie Daigle)

Série Les jumeaux Bulle (Bertrand Gauthier et Daniel Dumont)
Volume 1 et 2

Série Babouche (Gilles Gauthier et Pierre-André Derome)

Série Marcus (Gilles Gauthier et Pierre-André Derome)

Série Méli Mélo (Marie-Francine Hébert et Philippe Germain)

Série Sophie (Louise Leblanc et Marie-Louise Gay)
Volume 1, 2 et 3

FX Bellavance, (Jean Lemieux et Sophie Casson)
Volume 1

Série Pitchounette (Sylvie Massicotte et Daniel Sylvestre)

Série Marilou Polaire (Raymond Plante et Marie-Claude Favreau)
Volume 1 et 2

Roman jeunesse (à partir de 9 ans)
Série Rosalie (Ginette Anfousse et Marisol Sarrazin)
Volume 1, 2 et 3

Série Andréa-Maria et Arthur (Chrystine Brouillet et Nathalie Gagnon)
Volume 1 et 2

Série Catherine et Stéphanie (Chrystine Brouillet et Philippe Brochard)
Volume 1 et 2

Série Maxime (Denis Côté et Stéphane Poulin)
Volume 1 et 2

Série Notdog (Sylvie Desrosiers et Daniel Sylvestre)
Volume 1, 2, 3, 4, 5 et 6

Série Ani Croche (Bertrand Gauthier et Gérard Frischeteau)
Volume 1 et 2

Série Mélanie Lapierre (Bertrand Gauthier et Stéphane Jorisch)

Série Germain (Sylvain Meunier et Elisabeth Eudes-Pascal)

Série Pierre et Ahonque (Jean-Marie Poupart et Francis Back)